LES TOURI

Né à Paris en 1913, journali
a publié plusieurs livres quand, en 1947, il reçoit le Prix Interallié pour Les Carnets du Bon Dieu. *En 1952, le Prix Courteline couronne* Sonia, les autres et moi. *En 1954, Daninos fait naître dans* Le Figaro *un mystérieux major, W. Marmaduke Thompson, dont les* Carnets *vont connaître une immense audience : traduits dans vingt-sept pays, ils ont atteint, rien qu'en France, un tirage de 1 750 000 exemplaires (dont 780 000 dans* Le Livre de Poche*). En 1960 paraît* Un certain Monsieur Blot, *en 1962* Le Jacassin, *en 1964* Snobissimo.
Après avoir publié en 1966 Le 36ème Dessous, *Daninos revient au roman avec* Ludovic Morateur *en 1970 et au conte philosophique en 1975, avec* La Première Planète à droite en sortant par la Voie lactée.

Les Touristocrates, ce n'est pas seulement la relation daninosienne du dernier tour du monde du *France*, avec ses milliardaires et « ses braves petits millionnaires qui ont fait leur premier million eux-mêmes » — ultime voyage du plus beau navire du monde. *Sic transat*... C'est aussi la satire du voyage organisé, de l'*homo touristicus*. C'est M. Jourdain sous les tropiques. C'est Jojo mets-ta-laine style 75. L'auteur de *Vacances à tous prix* mesure le temps parcouru : il y a vingt ans on « faisait » la Grèce ou l'Italie, mais le chemin de faire ne connaissait pas encore son plein développement. Aujourd'hui, on fait Bali comme on faisait Palerme. Et dans la course à l'alizé, on finit par se retrouver partout : *naguère on courait le monde ; aujourd'hui il vous court après.*

ŒUVRES DE PIERRE DANINOS

Dans Le Livre de Poche :

TOUT SONIA.
LES CARNETS DU MAJOR THOMPSON.
LE JACASSIN.
LES CARNETS DU BON DIEU.
UN CERTAIN MONSIEUR BLOT.
LE MAJOR TRICOLORE.
VACANCES A TOUS PRIX.
SNOBISSIMO.
LUDOVIC MORATEUR.
LE 36ème DESSOUS.
LES NOUVEAUX CARNETS DU MAJOR THOMPSON.

PIERRE DANINOS

Les Touristocrates

DENOËL

« N'Y ALLEZ PAS ! »

JE tiens d'abord à remercier la Société internationale de géographie, le Club des explorateurs et le Service de la recherche sans le concours desquels j'ai pu m'en aller.

Je tiens ensuite à remercier les amis, les experts, les conseilleurs en tout genre qui m'avaient dissuadé de m'embarquer dans cette galère, avec cinquante cercueils prévus pour trois mois de vie d'autant plus problématique que la moyenne d'âge était plus élevée. Parlez d'un tour du monde en paquebot aux gens bien renseignés (il n'en est point d'autres) : ils vous parleront aussitôt des cercueils que l'on embarque au Havre.

De quoi vous faire partir la mort dans l'âme. Et l'on vous racontera l'histoire de cette passagère d'un précédent périple qui, désespérée d'avoir perdu son mari dans les îles de la Sonde, invita par radio sa sœur à la rejoindre et à prendre la place du mort. Quinze jours plus tard les deux dames participaient au bal apache.

Ce sont ceux qui restent qui sont le plus à plaindre.

Sans qu'il soit davantage question de cercueils... *Trois mois là-dessus, tu t'rends compte ?... les mêmes*

têtes pendant trois mois !... (moi qui pensais qu'il y avait des bureaux où l'on voit les mêmes têtes pendant dix ans)... *Très peu... Tu vas te faire suer... A ta place je resterais... D'ailleurs, t'auras rien le temps de voir... Les escales sont trop courtes.*

Mes conseilleurs avaient vu juste : en stimulant au plus haut degré mon esprit de contradiction, ils ont grandement contribué à me faire partir. (C'est ainsi qu'un jour je quittai Rio pour Paris pendant l'Occupation... Il fallait être dingue. Sans doute l'étais-je déjà.) Et ils m'ont permis de constater une nouvelle fois que le temps est élastique : la vie s'allonge quand on s'en va (sauf la dernière fois). Un jour à Bali n'est pas comparable — en durée — à une journée que l'on vit pour la dix millième fois à Paris. Ça dépasse nettement les vingt-quatre heures. Ça se dilate dans la mémoire. Point n'est besoin d'aller à Bali pour le constater : si vous prenez la voiture pour faire une virée en Bourgogne, le troisième jour vous avez l'impression d'être parti depuis une semaine.

« Trois mois dans un bateau, moi vous voyez je ne pourrais pas !... » m'ont dit beaucoup de personnes auxquelles on n'a rien proposé de tel.

Cela me rappelle le rituel *New York c'est très bien pour huit jours — mais je ne pourrais pas y vivre !...* Comme si Manhattan allait mettre ses drapeaux en berne.

Après les *si j'étais vous... si c'était moi...,* les questions.

On m'a demandé *qui il y aurait sur le bateau...* quel genre de cabine j'allais avoir... si je ne craignais pas le monde, la mer, le caviar... quels costumes j'emportais... si je comptais des amis à bord...

Personne, parmi les représentants de cette société parisienne négatrice, blasée, craignant toujours de paraître « dépassée » — ne m'a demandé par où j'allais passer.

Personne, je le jure. Sauf un garçon de quatorze ans.

I

ASSURANCE TOUTES-RIXES

DEVANT le tracé de ce tour du monde en 90 jours et le nom de ses escales : Rio de Janeiro, Tahiti, Bali, Hong Kong, Kotakinabalu, Singapour, Le Cap, Colombo, Sainte-Hélène — je reste rêveur.

Ainsi restais-je suspendu, il y a un demi-siècle, à cette ligne d'italiques *Bordeaux-Rio de Janeiro : 17 jours,* qui franchissait l'Atlantique sud de la carte murale dans la classe de M. Plique. Je ne sais si les temps ont beaucoup changé dans les lycées mais on arrivait toujours en Amérique du Sud l'été, à la fin du troisième trimestre. Le Brésil, le Pérou, l'Argentine, c'étaient presque des pays pour rire. Le café, l'or des Incas, la pampa avaient un parfum de vacances.

Chers pays lointains qui nous éloignaient de l'hiver, de la houille, de l'acier, des hauts fourneaux, des produits manufacturés — bref des pays sérieux, la France, l'Allemagne, la Grande-Bretagne...

Est-ce faute de n'avoir guère poursuivi mes études au-delà du lycée ? Le lycée me poursuit. Si j'abandonne un instant la carte du tour du monde pour contempler la coupe transversale du *France* qui, des hélices à la proue, laisse voir son cœur, ses entrailles, ses nerfs moteurs, ses turbo-alternateurs et les ailerons de ses stabilisateurs, me voilà derechef songeur... comme autrefois devant la planche de l'écorché aux artères roses, aux muscles mauves.

Rose... mauve... Il y a sans doute deux façons de contempler ce genre de coupe.

La première, c'est la solution de facilité, la vie en rose. Le mastodonte — plus long de quinze mètres que la tour Eiffel — fend les océans de son étrave, emportant à l'autre bout du monde ses passagers en smoking et leurs malles-cabines. Ses lumières brillent dans la nuit. On passe du ㊴ *Living room de l'appartement du Commandant au* ㉓ *Dôme plastique de la salle des sports,* de la piste de danse au théâtre, du guignol à la piscine, de la nursery à la salle de concert Debussy, du salon de bridge au bowling.

Par une échancrure, je pénètre au ㊺ :

SALON D'ÉCRITURE

... mais j'en ressors aussitôt, sachant d'avance que cette appellation m'empêchera d'écrire quoi que ce soit.

Alors mon œil, virant du rose au noir, est soudain tiré par le ⑬ :

FANAUX D'IMPOSSIBILITÉ DE MANŒUVRE

... voire par le (93) :

SIRÈNE DE BRUME SUPER-TYPHON

Et c'est le drame... A la lueur des *Projecteurs de recherche* ㉘ , j'aperçois une *Embarcation pour 165 personnes.* Mon regard se trouble, j'embarque, mon imagination travaille à tel point qu'en lisant :

SALLE A MANGER DES ENFANTS DE 1re CLASSE

... je vois des enfants mangés.

Existerait-il des enfants de 2e classe ? J'aime mieux n'y point penser. Rivés aux mauvais numéros, mes yeux fixent le (111) *Salle de radiologie* et sa sœur (112) *Salle de chirurgie.*

Je replie le plan du navire écorché et j'ouvre l'enveloppe de la documentation destinée aux passagers. Celle de l'assurance-voyage.

Ce que je trouve de plus extraordinaire dans les polices d'assurances, ce n'est pas ce qu'elles assurent, c'est ce qu'elles garantissent ne pas assurer. Pour signer un contrat sans se faire de soucis, mieux vaut ne pas en lire les clauses et s'en remettre au bon vouloir de cette super Compagnie qui nous assure sans limite — jusqu'à un certain point : le Destin, au capital mondial de trois milliards d'âmes entièrement versées dans l'incertitude.

Au moment où je vais partir avec le meilleur de nos ambassadeurs itinérants — un paquebot nommé *France* (sur lequel je reviendrai, du moins je l'espère) — ma police d'assurance-voyage me laisse tout de même songeur.

Les causes de décès auxquelles il ne sera donné aucune suite sont si nombreuses qu'à première vue, ou à dernière, il faut une chance exceptionnelle pour mourir dans les conditions requises. Sans aller jusque-là, prenons les cas de simples accidents.

Au cours de ce tour du monde en 80 jours plus dix, les escales à Rio, à Tahiti, à Sydney, à Bali, à Hong Kong peuvent permettre de savourer les joies de la chasse au requin bleu ou au barracuda. La Compagnie d'assurances prend à sa charge tous accidents dus à la pêche — sauf la pêche en mer.

La mort en estuaire ne semble pas prévue mais le fleuve de procédure qu'elle entraîne doit être salé. Sont couverts en revanche (quelle revanche !) les accidents dus au camping, au patinage, au golf, au canotage — toutes activités couramment pratiquées sur un paquebot. Le squash et le deck-tennis, qui le sont, ne le sont pas.

La moyenne d'âge des passagers disposant du temps et des moyens nécessaires pour une croisière de trois mois est élevée : il est bon de prévoir le pire. Sans parler du mal de mer, beaucoup de maux sont susceptibles de les atteindre. Ils peuvent, par exemple, mourir (je cite) *d'apoplexie, d'épilepsie, de delirium tremens, d'une maladie du cerveau ou de la moelle épinière.* La Compagnie d'assurances leur donne tous apaisements à cet égard : elle exclut de ses garanties ce genre d'éventualités, donnant heureusement à penser qu'elles ne sauraient se produire en mer. La police, qui rassure à défaut d'assurer, précise :

Ne sont pas considérées comme accidents les maladies telles que : la congestion, l'insolation, les déchirures musculaires, hernies et toutes opérations chirurgicales.

Mais :

Ne sont pas considérées comme maladies : la surdité, les névroses, la diminution des facultés mentales.

Pourquoi s'inquiéterait-on ?

Aux approches du cap Horn ou du détroit de Malacca, un cyclone, un typhon, un raz de marée, voire une éruption sous-marine ou un tremblement de terre, sont toujours à envisager quand on n'a rien d'autre à faire. La Compagnie, optimiste, juge les voyageurs suffisamment solides pour résister à de tels fléaux : elle les élimine en bloc des risques à couvrir.

Eliminées, après les conséquences des catastrophes naturelles, celles des calamités artificielles ou provoquées : le même paragraphe 35 exclut de toute possibilité de recours les accidents pouvant résulter *de la participation de l'assuré à des expéditions spéléolo-*

giques, à des compétitions de boxe, jiu-jitsu, judo, pancrace, et ceux *occasionnés par la guerre étrangère, la guerre civile ou la participation active de l'assuré aux grèves, émeutes ou mouvements populaires.*

Y aurait-il des émeutiers parmi les passagers ? La police, toujours pleine de malice, le laisserait supposer. Elle insiste même, mettant dans le même panier, *sous peine de déchéance,* l'assuré qui prend part à une compétition de judo et celui qui *participe à des crimes ou des rixes.*

Le voyageur est averti : pas d'assurance-rixes. Est-ce le Chili qui me travaille ? Je vois d'ici un assuré-touriste qui, s'étant fait la main au pancrace pour déboucher un syphon patagon, ne résiste pas au vertige de la participation et va projeter à Valparaiso un pavé de Paris arraché. Il fait ses aveux au participe passé :

« J'ai participé à une rixe. Je suis déchu ! »

Mais quittons le Chili. Songeons plutôt à Tahiti où l'on a procédé, en grande bombe, au mariage du rêve et de la réalité.

La Compagnie y a pensé : pas d'alinéa concernant les risques bien connus des hardis navigateurs perdus dans les bras des vahinés; mais « *les sinistres dus à des radiations ionisantes émises de façon soudaine et fortuite par des combustibles nucléaires ou des déchets radioactifs ayant contaminé les alentours à tel point que, dans un rayon de plus d'un kilomètre, l'intensité de rayonnement mesurée au sol 24 heures après l'émission dépasse un röntgen par heure* » ne sont pas couverts par la garantie.

Etre ou ne pas être au-dessous d'un röntgen —

telle est donc la question à laquelle répondra sans doute le vérificateur des poids et mesures.

Chassons ces nuages radioactifs et revenons sur le pont. Par forte houle ou par tempête, une chute est possible puisqu'elle l'est déjà par beau temps. Un conseil : si vous êtes tombé sur la tête, arrangez-vous pour que *la surface de la brèche osseuse* soit au moins de six centimètres. Au-dessous, votre pourcentage d'indemnité tomberait, du même chef, de 42 à 7 %.

Les candidats à la fracture du col du fémur, de plus en plus nombreux au fil des jours, devront veiller à ce que le raccourcissement provoqué par la fracture soit d'au moins 7 centimètres (encore le 7... Pourquoi ? Peut-être parce que c'est le chiffre des sages. Sûrement parce que ça doit être assez rare). Au-dessous, c'est du 10 % seulement. Autant dire que ça ne casse rien.

Très instructive, la lecture de mon contrat me révèle des sources d'invalidité — telles la paralysie du nerf circonflexe (totale : 20 %), l'ankylose de la phalange unguéale (7 % à droite, 5 seulement à gauche), la paralysie du poplité externe — auxquelles je n'aurais jamais songé sans lui.

Merci.

J'ai pensé à cette police d'assurance dès le premier jour du voyage. Si les passagers sont moins âgés qu'on me l'avait prédit, il en est un grand nombre qu'une simple glissade, un faux mouvement, une chute, quelque imprévu peuvent handicaper plus que n'importe quel jeune homme bien portant. J'ai donc voulu en avoir le cœur net (comme le cœur est curieux au pays de la Raison !), et m'en suis ouvert à l'un des médecins du bord dont la compétence me paraissait d'autant plus évidente qu'il avait longtemps été attaché à une compagnie d'assurances.

« Il faut vous dire, me dit le médecin-statisticien, que, malgré toutes les chances qu'il a de mourir sur la route, en avion, en train, dans la rue, sur l'océan, voire même en cas de guerre ou de cataclysme — un homme de soixante ans normalement constitué a 90 chances sur 100 de mourir dans son lit. Cette probabilité croissant avec l'âge, n'importe quel lit devient préférable au sien.

« Or, comme l'a chanté Villepreux de Maillacé dans une ode immortelle : *Ne change pas de lit qui veut !...*

« On n'a jamais très bien déterminé si cet illustre poète était préoccupé, comme tant de politiciens aujourd'hui, par les déshérités, les handicapés, les économiquement faibles — ou s'il n'avait en tête que les économiquement forts, qui peuvent changer de lit à leur guise. En effet, le jour où il avait écrit ce vers immortel, Villepreux de Maillacé est mort. Dans son lit... Personnellement, je pencherais en faveur de la seconde hypothèse... Sans doute suis-je influencé par le nom même de Villepreux de Maillacé, qui laisse supposer l'aisance.

« Mais peu importe. L'important, c'est que Villepreux faisait allusion, bien avant l'ère des voyages organisés, aux facilités de déplacement des sexa-septuagénaires fortunés. Aujourd'hui, ils sont en abondance sur les paquebots, dans les avions, dans les hôtels — de moins en moins chez eux. Consciemment ou inconsciemment, ils obéissent à la loi de Stephenson et Bodlowski, selon laquelle 92,5 pour 100 de gens meurent à leur domicile, l'essentiel étant de ne pas y être lorsque la mort frappe à votre porte. Ils s'éloignent donc le plus possible du lieu fatal, n'hésitant pas, pour cela, à franchir le tropique du Cancer ou le cap Horn. Il est bien évident que dans cette ultime loterie, les plus démunis, les plus défavorisés sont les moins bien lotis.

« Croyez-moi, conclut l'expert... l'axiome de Pascal suivant lequel tout le malheur de l'homme vient de ce qu'il ne sait pas rester au repos dans sa chambre ne résiste pas à un examen sérieux. On court évidemment un risque en quittant sa chambre, mais en y demeurant, on est sûr d'y rester. »

A l'instant où le médecin faisait éclater cette évidence à mon nez, nous vîmes passer sur le pont un septuagénaire souriant dans son fauteuil roulant. Malgré les perfectionnements de cette merveille nickelée à changement de vitesse et commandes automatiques, j'imaginais les difficultés que pouvait représenter un tel voyage pour un tel homme, notamment aux escales où, le bateau devant rester en rade, l'embarquement dans les vedettes comme le débarquement à quai ne sont pas toujours commodes.

« Il serait tout de même mieux chez lui. Ou alors il veut absolument boucler la boucle avant qu'il ne soit trop tard... »

Le médecin me détrompa :

« Pensez-vous ! Il fait le tour du monde pour la troisième fois. Il a quitté son lit il y a six ans et ne l'a plus jamais rejoint. Rien que l'année dernière, il a parcouru 165 000 kilomètres sur les routes, dans les airs, sur les eaux. Il a passé quarante nuits en avion, une soixantaine dans les trains, sans parler d'une bonne centaine de demi-nuits en voiture : pas une égratignure. Or savez-vous combien de gens sont morts pendant ce temps-là en restant sur place ? Rien qu'en France, 494 735 ! »

Le fait est là : pendant que, selon Pascal, il courait au malheur, 494 735 personnes étaient mortes dans leur lit. Pourquoi serait-il pressé de retrouver le sien ?

« Il est assuré ?

— Jamais quand il voyage. »

Mark Twain, au temps où le rail était le principal moyen de déplacement, avait noté, lui aussi, que malgré tout ce qui se chuchotait sur les chemins de fer, il n'y avait pas lieu de s'assurer sur la vie lorsqu'on prenait le train, mais quand on s'en abstenait. Sur un million de morts annuels aux U.S.A., la Compagnie des chemins de fer du lac Erié n'en portait qu'une trentaine à son compte, les 845 autres compagnies ne tuant qu'un tiers de voyageurs chacune. Le grand danger était le lit, dans lequel mouraient finalement 987 000 personnes sur un million.

A tous ceux qui, la veille des vacances, soupèsent les risques qu'ils vont prendre en se penchant du mauvais côté de la tour de Pise ou en escaladant le puy de Dôme, au touriste à trépied que nous voyons de mai à octobre ancré en pleine chaussée des Champs-Elysées pour photographier la perspective du Carrousel au risque d'être viré par le 73 ou le 22, à tous ceux qui bravent les oursins, les relais gastronomiques, les sommets, les courants, les gouffres, ces observations apportent la preuve qu'on risque moins sa vie sur l'Himalaya que dans un rez-de-chaussée parisien.

Une exception tout de même, sur la carte de ces longitudes : un parallèle terrifiant.

Pas celui des « 40es rugissants » dont on va voir qu'ils ne rugissent pas toujours. Non.

Celui des taxis fous.

Je les ai retrouvés à Rio, mais on peut les trouver ailleurs, dans un périmètre gigantesque : à chaque escale ou presque, un taxi fou aux freins mous, de capacité mal définie et de cylindrée non prévue par la police, sans taximètre mais avec radio déchaînée, dépasse, entre autres choses, tout ce qui avait été prévu par la Compagnie d'assurances comme clauses de « déchéance ».

De même qu'il y a une limite de la vigne et une frontière de l'éructation au-delà de laquelle l'incongru devient courtois, il existe, au sud d'une ligne chevauchant allégrement le tropique du Cancer et passant par Mexico, Kingston, Aden, Bombay, Hong Kong, une zone floue de taxis fous et autres trombes à quatre roues capables de vous en faire voir en une demi-heure plus qu'en une vie entière de conducteur et de vous mettre le nerf circonflexe en point d'exclamation.

Je garde inscrites dans ma mémoire les recommandations que me fit un Jamaïquain avant de me voir partir vers Montego Bay au volant d'une voiture de location. Ayant noté, en roulant un quart d'heure en sa compagnie, que les conducteurs faisaient très rarement signe avant de tourner ou de ralentir pour prendre quelqu'un à leur bord, je lui dis :

« En somme... on n'est jamais sûr de rien ?...

— Vous ne pouvez pas dire ça, *Sir*... Par exemple, si vous voyez quelqu'un passer le bras par la portière, agiter la main, ou tapoter son toit — vous pouvez être sûr d'une chose : c'est que sa fenêtre est ouverte. »

❋

Jamaïquains et Brésiliens ne se conduisent pas de la même manière dans la vie, mais sur la route...

A la façon dont le taxi de Rio m'emmenait, on eût juré qu'il s'agissait d'une question de vie ou de mort : j'avais demandé au chauffeur d'aller, doucement, au zoo; je me demande ce qui se serait passé si je lui avais dit : « A l'aéroport, en vitesse ! »

En un peu plus d'un quart d'heure : trois feux rouges brûlés, six orange avalés, quatre lignes jaunes absorbées, six dépassements à droite, une chaussée escaladée pour éviter, il est vrai, un triporteur déjà renversé — bref de quoi motiver un retrait de permis pour cent ans...

Mais surtout, une fois de plus, j'avais l'impression, si souvent éprouvée dans certains taxis tropicaux, de brader en vingt minutes soixante années de prudence, de discipline, de recommandations — depuis le cache-nez de mon enfance jusqu'au dernier modèle de ceinture de sécurité chère à notre univers glouton de sécurisation.

II

IL Y A...

SUR ce paquebot, il y a...

... Il y a beaucoup de messieurs importants dont on vous dit : « C'est l'huile Primor ! » ou « Ce sont les biscuits Milou ! ». Il y a même — la fortune vient avec le reste — le roi du Cure-Dent :

« Il fabrique des cure-dents dans la Nièvre ! » précise-t-on, comme s'il faisait ça en cachette de M. Mitterrand.

De là à baptiser cette croisière « croisière des milliardaires », comme on le fait, il y a un pas, j'allais dire un trou, de plusieurs centaines de millions que je ne pourrais combler : je sais trop, pour n'avoir jamais pu le compter, ce que représente un milliard.

S'il est un océan où l'on navigue à l'estime, c'est celui de la fortune. On entend souvent dire :

« Il a gagné sept ou huit cents millions ! »

... ou bien :

« On l'évalue à quatre ou cinq milliards... »

... comme si la différence, qui comblerait tant d'infortunes, était de peu d'importance.

Essayons d'y voir plus clair et de ne plus parler milliardaires à la légère.

Il y en a peut-être trois (ou) quatre... mais les « gros » ne sont pas là.

Ce n'est pas le calibre Onassis, Getty, Rothschild. A ce niveau-là, on construit ses bateaux soi-même, on ne va pas faire le tour du monde avec douze cents personnes. Les « milliardaires » du *France,* ce sont de braves petits millionnaires qui ont fait leur premier million eux-mêmes. P.-D.G. du clou, de la verveine, du caoutchouc, ils vous disent : *J'ai de bons cadres... Mes directeurs me téléphonent une fois par semaine... Je peux décrocher trois mois...*, vous parlent de leur bicoque sur la Costa Brava ou de leur pavillon au Vésinet et vous laissent sur un *Au revoir, monsieur dame... Au plaisir et bonne continuation !*

A côté de ces voyageurs « fortunés », beaucoup d'autres dont on vous dit qu'ils ont *cassé leur tirelire* pour faire le tour du monde (je parlais tout à l'heure du cache-nez : la tirelire date pour moi de la même époque; je n'en avais plus entendu parler).

Parmi ceux qui ont « cassé leur tirelire » : une marchande de fruits et légumes *sur la Nationale 75;* une retraitée de la Sécurité sociale; un tonnelier bourguignon (béret bleu marine, bretelles extra-souples modèle 39, pantalons en tire-bouchon) dont on assure qu'il est allé prendre son train à Mâcon en vélo et dont on garantira dix jours plus tard qu'il a pédalé jusqu'au Havre. Peu importe : il fera très bien son numéro de tonnelier et dansera la java sur le pont, à la grande joie des gens du monde (s'il y en avait cinquante comme lui... je ne sais pas si leur plaisir serait le même; un seul, ça va).

Puisque chacun fait son cinéma comme il peut, faisons donc un peu de *flash back.*

Nous sommes au Havre début janvier. Du vaste hall de la gare maritime ou règne une des dernières choses qui règnent encore, le brouhaha, on aperçoit, par-delà les guichets de la douane, un morceau noir luisant du bateau qui va nous emporter. Son flanc s'ouvre sur un hall illuminé qui, avec son tapis cramoisi, ses chefs de réception, ses grooms en livrée rouge à boutons de cuivre, tient à la fois du Ritz et du Maxim's — un Maxim's dont le chasseur serait devenu mousse de sonnerie (« mousse de deck », « mousse de sonnerie », « principal de maistrance »... ces appellations ne m'étaient pas encore connues).

Pour parvenir aux échelles de coupée qui mènent à cette entrée encombrée de bagages et de fleurs, il y a foule. Quoiqu'il n'existe aucune raison de se presser puisque le *France* ne part que dans trois heures, on se bouscule sur le quai.

La première fusion des passagers s'opère sous mes yeux. Le lapin frotte le vison, la vigogne voisine avec le trench-coat doublé laine. On devine à peu près qui va être conduit vers le living-room du *grand appartement de luxe Normandie,* qui vers les *cabines doubles intérieures-douche,* mais on ne saurait dire que la condition humaine du moment inspire la pitié.

Soudain, à la suite d'un remous, une exclamation retentit :

« Poussez pas ! Moi aussi j'suis millionnaire ! »

Je me retourne. C'est un petit homme en gabardine qui, menacé par un poil de chameau décoré, s'est rebiffé.

La voilà bien, la lutte des classes *au plus haut niveau,* l'oppression des petits millionnaires par les gros.... Va-t-on chanter *L'Internationale* ? Non. C'était tout juste. On se retrouvera sur le bateau...

Les nouveaux riches de 14-18 étaient des enfants de chœur à côté de ceux de la dernière guerre. On a beaucoup plus gagné en une guerre perdue qu'en quatre ans de guerre victorieuse. Ça a même été si rapide que le confort intellectuel n'a pas eu le temps de suivre. Rien d'étonnant, donc, que le quotient intellectuel du personnel paraisse nettement supérieur à celui de certains passagers.

J'en ai la preuve dès les premiers repas. Une dame s'exclame en se délectant de caviar :

« Quand je mange ça, je suis en plein Nevada ! »

Quelqu'un observe poliment :

« Vous voulez sans doute dire... nirvāna ?

— Oui, c'est ça... De toute façon, c'est en Amérique. »

Est-ce la même ou une autre ? A un conférencier qui lui parle des Incas, elle semble se délecter à nouveau :

« Ce sont de si jolis petits oiseaux ! »

Il est vrai qu'à Lima un monsieur beaucoup plus calé (« *C'est la troisième fois que je fais le tour du monde !* ») nous dira, assis sur un canapé du musée de l'Or, comme s'il recevait :

« Je ne visite pas... Je l'ai vu cinq fois... Mais ce que vous allez voir c'est pas inca, c'est pas maya... c'est atzèque ! »

Je croyais que sa langue avait fourché, mais il a répété : « atzèque » comme s'il éternuait. Dire atzèque, c'est difficile. Mais faire venir les Aztèques au Pérou, c'est fort.

Singulière cette supériorité que certains ressentent parce qu'ils font le tour du monde pour la quatrième fois, ou parce qu'ils sont déjà venus trois fois à Rio. J'envierai toute ma vie le jeune homme venu de la mer qui découvre Rio pour la première fois; il ne me viendrait pas à l'idée de m'enorgueillir d'y arriver pour la seconde.

Il y a dans les premières fois une saveur à nulle autre pareille. Sans doute pas en amour, où le « pourrait mieux faire » est une certitude quasi générale, tant il est vrai que l'on possède de mieux en mieux son sujet. Mais, dans ce domaine de la découverte géographique, voire gastronomique, rien n'est comparable au choc que peut provoquer la première approche vers New York, la première montée vers Fiesole. Aucun sanglier sauce poivrade n'excitera plus mes papilles comme le premier.

Entre la première fois et la seconde, il peut s'écouler dix ans ou trois minutes : l'étrave du *France* illuminé au pied des gratte-ciel dans la baie de Hong Kong, avec le va-et-vient des jonques et des sampans, dix minutes plus tard ne sera plus la même.

S'il y a plus de vieux que de jeunes, la moyenne d'âge est sensiblement moins élevée que prévu. C'est plus sexa que septua. Et, à trois ou quatre exceptions près, l'apparence générale est robuste. Monte-Carlo un jour d'hiver, avec ses vieillards frileux, ouatés, qui semblent faire une dernière fois le tour des jardins en surface — est beaucoup plus déprimant.

La gérontocratie transatlantique respire la santé : elle lui prodigue des soins vigilants — pilules, capsules, gélules, culture physique, marche, massages, thalassothérapie — on jurerait que les vieillards en mer prennent des allures de gaillards d'avant.

La plupart ont le sourire que n'a pas toujours la jeunesse. Parmi ceux, fort rares, dont l'air chagrin, préoccupé me frappe, il en est un que je salue parfois dans ses déambulations solitaires :

« Ça va ?

— Ça va... Je n'ai eu qu'une appendicite et deux occlusions intestinales depuis le début de la semaine... Rien de bien grave. »

C'est le chirurgien du bord. Il s'ennuie. Avec tout ce qu'on lui avait raconté, à lui aussi, il pensait que ça se passerait mieux, c'est-à-dire plus mal.

Alors... ces histoires de cercueils ? Pourquoi la mort ne prendrait-elle pas dans sa fourchette trimestrielle autant d'élus sur mer que sur terre ? Surtout quand il s'agit d'un électorat aussi mûr, quasi prêt à être fauché...

La loi de la bougeotte salvatrice, chère à Stephenson et Bodlowski, va jouer une fois encore : en trois mois de pérégrinations, on n'enregistrera qu'un seul décès sur 2 700 passagers et membres d'équipage. Une publicité d'autant plus alléchante pour la Transat que la mort n'a pas frappé à bord : une dame de soixante-quinze ans aura eu le tort de ne pas rester au niveau de la mer. Elle a voulu faire « la 39 bis » (La Paz-Titicaca-La Paz) mais le bref séjour d'une nuit dans la capitale la plus haute du monde (3 700 m) aura marqué pour elle le début d'une ascension dont elle n'est jamais revenue.

Quittons ce ciel qu'il est si dangereux d'approcher, même par étapes, et retournons à bord.

Il y a un Allemand qui connaît très bien la France. A l'encontre de tant d'Allemands qui y sont allés *avant* ou *après* mais jamais pendant, lui ne cache pas qu'il a *très bien la France connue pendant* l'Occupation : il régnait sur le meuble. Fabrication, vente, exploitation, cession — tout ce qui était meuble passait entre ses mains.

Quand j'entends une femme m'exposer ses griefs contre son époux, je souhaite toujours, pour me former une opinion, entendre le mari. Avant de juger une partie, il faut écouter l'autre. En l'occurrence, je n'avais jamais encore entendu un Allemand me dire comme celui-ci :

« Si vous saviez, cher Monsieur, comme j'ai eu grand mal après la guerre à prouver que je n'avais pas collaboré ! Heureusement, j'ai été par la Gestapo interrogé ! Teux fois ! Natürellement, comme vous dites, ça m'a « planchi », c'est ça ? *So*... Blanchi... Remarquez bien : je n'avais rien fait contre mon pays : seulement travaillé avec des Français. Très corrects, les Français. Mais un moment j'ai vraiment peur eu ! »

Il y a le commandant — dit « le Pacha » comme tous les commandants — et qui, comme tous les commandants, a sa légende : on dit qu'il s'allonge mais ne dort jamais.

Il se rattrape aux dîners de gala; il a une façon de dormir les yeux ouverts, le regard fixé sur l'horizon, qui lui permet sans doute de franchir avec une apparente sérénité les plus plates latitudes des lieux communs internationaux.

« C'est un marin, disent les uns. Pas un homme du monde.

— C'est un terrien ! disent les autres. Si vous allez dans son bureau — vous n'y êtes pas allé ? — vous verrez sur sa table ses vingt-huit vaches avec sa femme : il a ça sous les yeux tout le temps. Il vit six mois par an sur la mer mais il ne pense qu'à sa ferme de Bretagne. »

En somme, les avis sont divisés mais c'est un homme entier, dont on arrive à partager les opinions, souvent brutales, au moins par quart.

Entier et franc.

Comme nous venons d'essuyer une tempête (cela fait partie des choses qu'on essuie) sur l'Atlantique nord, il me confie :

« D'après la météo c'était très mauvais au nord,

très mauvais au sud. Je suis passé par le milieu. C'était pire. »

Vingt-quatre heures de retard pour l'arrivée à New York...

Il n'en a pas fallu davantage pour que la tempête en question soit qualifiée par les passagers de « la plus forte qu'on ait jamais vue sur l'Atlantique nord »...

Il y a Dali, qui prend part aux exercices de sauvetage. Le noir ébène de sa canne à pommeau d'or, de ses moustaches laquées, de ses yeux perçants, contraste avec le jaune du gilet salvateur. On sent qu'un jour ce salvator Dali-là en tirera parti avec sa précision habituelle. Pour l'instant, il est aussi sage que songeur. La perspective du danger le fait-elle penser au Ciel ? Il me parle du Christ :

« Au point de vue religion, ça ne vaut rien. Mais comme propagandiste... pardon ! Tout de même... se faire *croucifier* pour la *poublicité,* même moi je ne le ferais pas. »

Passant ensuite à Mao (c'est un homme qui passe très vite à autre chose), il me signale, au passage, qu'il a fait don au président Nixon d'un portrait du vénéré Chinois. Assez particulier :

« Le haut Mao... le bas Marilyn Monroe... »

Sur quoi il m'assure, en monarchiste convaincu, que Mao est un monarchiste réactionnaire et que la révolution chinoise est une révolution d'extrême droite.

« Les paysans, c'est ce qu'il y a de plous à droite ! »

S'il faut prendre les gens à petites doses, Dali est bon à prendre de temps en temps. La fréquentation quotidienne de ce génie doit présenter des inconvénients. Après tout, je ne suis pas sa femme; je l'admire comme peintre. Pour l'instant ce n'est pas ainsi qu'il entend être admiré. Il ne me l'envoie pas dire : à propos d'un livre qui s'intitule *Comment on devient Dali,* il m'assure :

« Je souis le plous grrand écrivain du monde. Ce qui m'intéresse, c'est ce que j'écris moi-même. Je me relis cinquante fois — toujours avec le même plaisir... »

Exactement comme les autres. Seulement lui le dit.

Ma femme intervient :

« Il y a tout de même un auteur à qui je vous apparente : Ionesco...

— A une différence près : c'est que lui est trrès bête et que moi, je souis souprêmement intelligent !

— En tout cas, je vous aime beaucoup...

— Moi aussi, je m'aime beaucoup. »

Un silence.

« Vous travaillez en ce moment ?

— En ce moment je fais une étude sur le trou du cul. On a constaté qu'il comporte trente-cinq plis — quelquefois trente-six — dans un ordre logarithmique. Et on a remarqué que la grranulation du cul du rhinocéros parrticipe aussi d'un ordre logarithmique : c'est pourquoi Ionesco a eu tort de traiter cet animal de con ! »

Ce génie éprouverait-il à sa façon un besoin si répandu à notre époque : choquer ? Ce n'est pas impossible. Comme nous passons, je ne sais trop comment, du rhinocéros à Venise :

« Vous y allez souvent ?

— Oui... Je crrois que c'est là où je vomis avec la plous grrande satisfaction !

— Et sur un bateau ?

— Seulement la première fois. Maintenant ça ne me fait plous rrien ! »

Il y a une dame pétulante — la soixantaine restaurée, des turbans qui maintiennent, un perpétuel sourire un peu amidonné, beaucoup de bagues, de breloques qui tintent. Elle voyage seule mais s'arrange pour ne jamais l'être. Elle ne se rapproche pas. Elle fonce. Dès le premier choc elle m'a dit :

« C'est très simple : je suis la joie de vivre !... J'ai toujours quelque chose à dire, à raconter, à écrire, c'est plus fort que moi... Enfin, de vous à moi, nous avons trop peu de temps à passer sur la terre pour gémir ! Ce n'est pas que je ne veuille pas m'ennuyer : je ne PEUX pas ! »

Elle ennuie donc les autres avec des histoires qui, ne tenant pas debout, donnent envie de s'allonger. Du moins est-ce ce que j'éprouve quand elle me tient. Cela commence en général par le redoutable *Avec ça vous pourriez écrire un livre !* Elle poursuit en débitant un bottin de fadaises et termine par le rituel *C'est pas merveilleux ça ?* Comme elle prend mon rictus préfabriqué pour un acquiescement béat, elle repart. C'est sa façon de rester avec vous. Je veux décoller. Elle me retient :

« J'en ai une autre !... Ah zut ! attendez... Oh ! ça me reviendra... Ah oui !... Je voulais vous dire... Je vous ai trouvé un titre pour votre livre !

— ...?

— *La Vérité sur le France !...* C'est pas bon ?

— C'est extra. Merci. Je note.

— Mais alors tout !... Vous savez ? Tout ! »

A côté des passagers dont je me demande comment ils m'ont lu tant ils mettent de conviction à me livrer, en confidence, des histoires inutilisables, parlons de ceux qui n'ont rien lu du tout.

Me voici face à un Américain qui fabrique des sous-vêtements élastiques dans le Missouri. Il me l'a dit. Les Américains sont francs, précis. Ses sous-vêtements sont élastiques. Il ne comprendrait pas pourquoi je ne lui dirais pas quel genre de livres « je produis » :

« *What kind of books do you write* [1] *?* »

La tête de l'Américain, plutôt carrée, s'arrondit en forme de Maison de la Radio : je pense au « Qui êtes-vous ?... Comment vous définissez-vous ? » des interviewers. Je me cherche. J'ai toujours du mal à dire ce que je fais. C'est peut-être pour cela que je finis par écrire.

J'essaye de renseigner l'homme du Missouri :

« Plutôt le genre humoristique... »

Il en veut davantage :

« *What kind of stuff do you use* [2] ?

Ce terme de *stuff* a pour moi une résonance bizarre... Je me vois tout à coup tirant de mes rayons une pièce de tissu. Suis-je dans le doupion, le plumetis, la satinette ? Sers-je du 90 ou du 140 ?

Je définis, aussi mal que possible, le type d'ingrédients, l'espèce de matériau que j'emploie dans mes petites constructions.

Sérieux, le Missouri enregistre, compare, et finit par me demander combien je touche par livre.

Un auteur a toujours intérêt à voyager et à partir léger, en laissant son amour-propre à domicile.

A ce point de vue, j'aurai été gâté avant même de quitter mes pénates. Le bagagiste de la S.N.C.F. vient enlever malle et valises. Me voyant dans l'entrée il me dit avec le sourire :

« C'est vous monsieur Daninos ?

— Oui, bien sûr.

— Ah !... je vous ai beaucoup aimé !... »

1. « Quel genre de livres écrivez-vous ? »
2. « Quelle sorte d'ingrédients (de matériaux) employez-vous ? »

Ce genre d'aveu fait toujours plaisir, même au passé. La confirmation suit :

« Oui... au Châtelet... Dans *Au pays du sourire...* »

Le mien se fige. Mais l'homme rectifie aussitôt :

« Non ! C'était dans *La Veuve joyeuse* ! Mais il y a longtemps... »

Il y a longtemps, en effet, j'avais un homologue ténor. Il se rappelle à ma mémoire. Je tiens tout de même à préciser, refusant toute gloire posthume :

« Ce ne doit pas être moi... j'écris des livres.

— Ça ne fait rien. Les livres ou le théâtre, c'est toujours la même chanson ! »

Le festival s'est poursuivi à bord. Origine : le squash, qui me tient lieu de tennis. Un tennis miniaturisé mais plus violent et plus rapide, qui se joue sur les quatre murs d'une pièce carrée où les heurts entre adversaires sont fréquents. Ce jour-là, au cours d'un croisement, je ne puis éviter le choc avec un Brésilien qui me passe sur le dos avec ses 95 kilos.

La chute me laisse un instant groggy. Je comprends, en voulant me relever, que je me suis froissé plusieurs muscles du dos. Mon géant brésilien me surplombe, désolé. En me voyant grimacer de douleur, il ne peut réprimer un sourire. Non que son naturel soit mauvais... mais il se rappelle l'histoire que je lui ai racontée la veille.

Une histoire de muscle froissé, dans un lit, à la suite de divins échanges avec une de nos plus célèbres vedettes internationales dont on a pu écrire qu'elle possédait « la touche magique ».

Je me hâte de préciser, pour la bienséance, qu'il s'agissait d'un homme, un homme des antipodes, John Newcombe pour ne pas le nommer, champion de tennis et lauréat du tournoi de Wimbledon. Malgré son sens inné de l'anticipation, et tous les moyens de l'information moderne, il est peu probable qu'il soit au courant de ce match disputé à son insu et dans la plus stricte intimité.

Etait-ce parce que j'avais perdu une partie de tennis dans la journée et que, suivant les lois freudiennes à la raquette, je refoulais au fond du court l'homme qui m'avait tenu tête au filet ? Etait-ce plutôt parce que la télévision m'avait permis d'assister à la finale du tournoi de Wimbledon ? Toujours est-il que je me trouvais, face à Newcombe, et en présence de 20 000 spectateurs, sur le court central du All England Lawn Tennis Club, sans être le moins du monde impressionné par l'atmosphère solennelle de ce temple du tennis où le jeu atteint, comme on dit, de telles « dimensions » que celles du court ne semblent pas les mêmes qu'ailleurs. J'avais réussi le long des lignes plusieurs passing-shots qui avaient médusé l'Australien, lorsque, en courant désespérément vers une vicieuse amortie près du filet, je dérapai sur le gazon légèrement glissant et tombai de tout mon long. La chute fut si brutale que je m'éveillai en sursaut (pas moyen de se réveiller autrement dans les récits tragiques) avec la sensation confuse de m'être tordu quelque chose.

J'en eus confirmation le matin en me réveillant : je m'étais tordu la cheville et, en plus, j'avais attrapé un rhume.

« Tu auras encore oublié de remettre ton chandail après la partie ! » me dit ma femme.

Cette preuve qu'en dormant on peut faire des faux pas aussi vrais que dans la réalité, je l'avais rapportée à Marcio Munhos en parlant rêves. Il y voit un songe prémonitoire. J'avoue que, pour l'instant, peu importe.

Je descends chez le masseur. Il m'étend sur le ventre, commence à me pétrir le dos, me parle :

« Ah ! monsieur Daninos, je crois bien que j'ai lu tous vos livres...

— ...

— ... Mais celui que j'ai peut-être le plus aimé, c'est *L'Histoire de France*...

— ... ?

— Oui, vous savez... racontée à Sonia...

— ... Non, à Juliette... En effet c'est un très bon livre (je ne vais pas débiner le livre d'un confrère — mais je ne peux tout de même pas me l'attribuer). Seulement *L'Histoire de France racontée à Juliette*, c'est de Duché.

— Ah oui ! Vous, c'était *L'Homme vertical !*

— Pas aujourd'hui en tout cas... Je crois bien que *L'Homme vertical* c'est le titre du deuxième tome de *L'Histoire du monde* du même Duché.

— C'est vrai. D'ailleurs, comme vous me le disiez tout à l'heure... beaucoup d'humoristes veulent un jour faire sérieux...

— C'est un historien.

— Ça ne fait rien. La preuve c'est qu'il a voulu ensuite être député et qu'il a essayé d'être de l'Académie française.

— Non, ça c'est Dutourd.

— Ah oui ! Vous savez j'en lis tellement ! En tout cas... Vous... le Major... Ça a été... ça a vraiment été...

— La timbale... ?

— Ah ! ça ! vous pouvez le dire : la timbale. Qu'est-ce que j'ai pu rire ! tellement que quand j'ai appris que *Les Silences du colonel Bramble* avaient paru je me suis jeté dessus ! »

Quelques jours plus tard cet excellent masseur, peut-être pour se rattraper, me faisait porter tous les livres de moi qu'il avait pu trouver à la librairie du bord afin que je les lui dédicace.

Il s'appelle Pierre Titre.

III

LE PORTE-MALHEUR

DÈS qu'on lâche un homme de plume sur un paquebot, il se met à parler hublots, galope dans les coursives, voit partout des rambardes, se fait gifler par les embruns, et, prenant bâbord pour faire moins gauche, arrive on ne sait trop comment à faire passer les femmes et les enfants d'abord. Par-dessus le bastingage, bien entendu (terme que les vrais marins n'utilisent jamais et auquel ils préfèrent la lisse ou les batayolles). Au-dessus de tout le monde et seul-maître-après-Dieu, le commandant, debout sur la passerelle, prêt à sombrer le dernier, alors qu'en réalité il ne fait qu'endosser son smoking pour descendre dîner.

Heureusement les professionnels de la mer, ceux qui ont l'habitude de doubler le cap Horn comme d'autres une Mercedes, sont là pour nous parler plus clairement. Quand Moitessier s'écrie : « Sacrée Méditerranée ! » et m'explique :

« *Nous avions d'abord pris paisiblement la cape sous la trinquette à contre et l'artimon au bas ris, avec un fanal à pression de 250 bougies amarré dans les haubans, mais cette position était devenue dangereuse au milieu de la nuit...* [1] »

... tout devient limpide.

1. *Cap Horn à la voile* (Arthaud).

❋

Si rien ne me faisait penser aux femmes et aux enfants d'abord, quelqu'un serait là pour me rappeler à l'ordre des naufrages.

C'est un monsieur d'une cinquantaine d'années qui se repaît d'une série de livres intitulée *Les Grandes Catastrophes maritimes.*

On le voit arpenter les ponts avec le *Titanic* sous le bras ou un bout du *Lusitania.*

Aujourd'hui il en est au *Georges-Philippar.* Ça se rapproche.

Quoiqu'il soit rarement question de petites catastrophes et que ce soit un pléonasme de les qualifier de grandes, le sous-titre de la série indique clairement où commence le grand, où finit le petit :

PLUS DE 700 NAUFRAGÉS, MOINS DE 200 RESCAPÉS

A 201, l'éditeur, ne serait-il plus preneur ? En tout cas, avec 1 200 passagers, nous devons être à l'échelle, sinon à la coupée. Un signe semble nous marquer. Un insigne. Celui que portent les voyageurs embarqués à New York. Frappé de lettres d'or ce ruban bleu annonce :

THE ULTIMATE ODYSSEY

Ultimate peut bien signifier « le fin du fin » : pour les Français, ce *badge* prend l'aspect d'un faire-part nécrologique. Homère n'avait pas prévu cette rallonge à *L'Odyssée,* avec mazoutages problématiques à Sydney ou au Cap.

Personne ne peut encore dire que ce voyage-ci sera

l'ultime du genre et si nous sommes vraiment sur le dernier transat où l'on cause. Mais il semble y avoir beaucoup de vrai dans la fausse traduction du signe.

Quant à notre lecteur de malheurs, il complète sa documentation par des travaux pratiques. Alors que les exercices d'alarme ennuient tout le monde (à partir du moment où on s'y est livré une fois, on a tendance à sécher), il y prend part avec délectation, se réjouit de voir embarquer aux escales de nouveaux passagers promis à la répétition générale, repère l'emplacement de son canot de sauvetage, vérifie si les garants d'acier sont bien enduits de graisse.

Un homme de ronde l'a découvert, une nuit, dans le canot 108 avec son gilet de sauvetage.

Le marin s'étant étonné, le naufragé a répliqué :

« Il n'y a aucun règlement qui m'interdise d'essayer ma place de jour ou de nuit. Je répète.

— Vous auriez pu tomber... »

Loin de le terrifier, cette supposition comblait un des vœux secrets du porte-malheur : le *France* freinant soudain son allure et décrivant un grand arc de cercle pour rechercher dans l'océan, à la lueur des projecteurs... un homme à la mer !

A cette douce perspective, le Titanicman n'a pu réprimer un sourire.

Il en est avec certaines personnes comme avec certaines choses : on redoute d'en savoir trop — et l'on veut en savoir davantage. Je me suis peu à peu rapproché de cet homme dont je devrais me tenir à distance. Et lui, peu à peu, s'est confié.

Un jour — était-ce bâbord ou tribord ?... en tout cas c'était à bord — il m'a dit qu'il avait appris à se sauver en quatre langues. Celles qui figurent, dans chaque cabine, au tableau des *Instructions en cas d'alarme*.

« Très révélatrices du caractère, les langues, surtout en cas de détresse. On doit bien reconnaître que, de toutes, c'est l'anglais qui est le plus concis, le plus strict, le plus apte à être obéi. *Put on your life jacket...* ça a une autre résonance qu'*Enfilez votre brassière de sauvetage !* Brassière... ça fait bébé et savonnette... Quant à *Chaleco de Seguridad* et *Toque de Alarmo*, ça donnerait plutôt envie de chanter... »

Le projet de ce voyageur inquiétant et sans cesse inquiété, c'est de réunir les enseignements des Grandes Catastrophes Maritimes pour les amalgamer dans un formidable désastre de sa conception qui constituerait, en quelque sorte, le naufrage idéal des temps modernes. Il s'agirait d'un *Nautilus* de l'an 2000, capable de voler, par mer calme, à la surface des eaux, avec 6 000 personnes à bord.

En attendant qu'il dépeigne, d'une plume alerte, le Grand Sinistre, il passe sa vie dans l'alarme, il en rêve, il s'en nourrit.

Certains passagers ont accroché dans leur cabine, un Dufy ou un Picasso (quelquefois authentique). Lui a fixé une reproduction en couleurs du *Radeau de la Méduse,* sous laquelle on peut lire, imprimée sur un ruban rouge, cette phrase de Voltaire :

Comptez que le monde est un grand naufrage et que la devise des hommes est : « Sauve qui peut ! »

Calée à la tête de son lit, une corne de brume le réveille (après réclamations des voisins, il l'a bourrée de coton)... C'est par trois coups brefs, trois longs, trois brefs — rituel S.O.S. des messages de détresse — qu'il commande son café au lait. Le soir, un disque de la Royale Chorale des Marins de Plymouth l'endort au son d'un *Plus près de Toi, mon Dieu.*

Il sait tout des fusées d'alerte, des signaux d'alarme, d'évacuation, d'abandon (quatre coups longs), des sonars, des sifflets, des sondeurs à ultra-sons, des sirènes, des radars, des bas-fonds du détroit de Torrès — au-dessus desquels nous devons passer —, comme des profondeurs abyssales de la fosse de Tasmanie, où nous ne ferons, je l'espère, que passer aussi.

Il connaît par le menu le fonctionnement des portes étanches qu'il supervise à l'occasion. Tous ces compteurs de la salle des machines devant lesquels le novice reste éberlué — vannes de garde, reprises de purges, collecteurs d'huile, injection d'eau — n'ont pas de secrets pour lui. Et s'il reste perplexe devant le rayon lumineux du radar qui balaie le cadran noir, c'est parce qu'il sait très bien que ce fascinant balai, sauvegarde des airs et de la mer, n'est pas tout à fait infaillible : la nuit où le *Stockholm* éperonna dans le brouillard l'*Andrea Doria*, il y eut, dans la propagation des ondes, un phénomène de réfraction rarissime : le radar du premier montrait l'autre par bâbord alors que le radar du second situait le premier par tribord.

Un soir, au théâtre, le porte-malheur a dû croire son heure venue. A l'instant où l'on jouait la *Danse du feu* de Falla, un court-circuit provoqua un début d'incendie. Les fils des projecteurs fondirent, la fumée s'éleva, des flammes jaillirent.

Les catastrophes ayant un faible pour la nuit, avec smokings et robes du soir, les conditions semblaient réunies. Heureusement pour tout le monde, sinon pour lui, elles en restèrent là, le début de l'incendie ayant été immédiatement circonscrit, suivant l'expression consacrée aux incendies.

✳

Le mimétisme épouse parfois les formes les plus étranges. Je pense souvent à ce conservateur du musée Toulouse-Lautrec d'Albi, qui, à force de vivre dans les papiers du peintre et de tirer ses esquisses, avait fini par lui ressembler.

Le visage glabre de mon quinquagénaire sec et osseux est empreint de gravité : il semble avoir emprunté à la lecture constante des tragédies. Je ne veux rien exagérer et n'irai pas juqu'à dire que ce dévoreur de naufrages a une tête en forme de signal d'alarme. Pas un passager, pourtant, qui soit tenté de le tirer vers lui quand il vient sur le pont poursuivre ses lectures. Lorsqu'il s'installe sur une chaise longue avec ses catastrophes, les visages se détournent, les gens se lèvent.

La proue du *Lusitania* s'enfonçant dans l'océan, ça fait toujours un petit quelque chose...

Au fond (j'ose à peine écrire « au fond » en parlant de lui), cet homme exerce sur moi une fascination malsaine — un peu celle qui, dans un autobus, dans un train, force le regard à revenir vers un visage monstrueux alors qu'il vient de s'en détourner.

Un jour, attiré par le vide qui s'était créé autour de lui, je m'enhardis à lui demander s'il ne craignait pas... simple superstition... de réveiller les forces du Mal en les étudiant de si près sur un transatlantique. Quand Mars dort, il ne faut pas parler de guerre.

Ses yeux olivâtres me dévisagèrent aussitôt comme si j'avais percé un secret.

« Croyez-le ou ne le croyez pas... Si je ne me suis pas encore décidé à publier, ce n'est pas seulement parce que ma documentation me paraît insuffisante... C'est beaucoup par superstition. Lisez plutôt ça... »

Il me tendit un livre assez épais que j'écartai poliment, subodorant le sujet :

« Je préférerais autre chose...

— Vous avez tort. Mais, puisque vous m'avez mis vous-même sur la voie, je vais vous résumer l'histoire. »

Ah ! mimétisme ! Moi qui croyais en toi parce que j'ai vu partout des lads ressembler à des chevaux ou de vieilles dames à leur chien — je vais pénétrer avec toi dans le domaine de l'inconcevable : celui où la réalité plagie le délire de l'imagination.

Le livre que mon voisin m'avait tendu s'intitulait *Futility*. Publié en 1898 sous la signature d'un écrivain américain, Morgan Robertson, il narrait l'histoire d'un transatlantique, le *Titan*, dont la taille et la vitesse étaient celles du futur *Titanic*. Comme le *Titanic*, il heurtait un iceberg une nuit d'avril, lors de son premier voyage sur l'Atlantique nord. Réputé insubmersible comme le *Titanic*, il sombrait dans la même région de l'océan. Et, comme sur le *Titanic*, les embarcations de sauvetage, en nombre insuffisant puisque jugées superflues, ne pouvaient permettre d'éviter le désastre.

Quatorze années allaient passer avant que le *Titanic* refît le voyage imaginaire du *Titan*.

« Qu'est-ce que vous en dites ? » me demanda l'expert en sinistres.

La nuit était tombée. Le *France*, traçant sa route par le travers de longues vagues souples, semblait l'image même de la stabilité, de la sécurité. Nous étions loin de la zone des icebergs, les radars fonctionnaient et pourtant un frisson parcourut mon échine. Je m'apprêtai à rejoindre ma cabine.

Tenace — j'allais écrire *Tenacity* —, le porte-malheur n'entendait pas s'arrêter en si mauvais chemin. Il me retint :

« Cela n'est rien... »

J'étais assis.

« Ce ne sont pas les romanciers qui exagèrent, c'est la réalité. Ce qu'il y a de plus troublant, ce n'est pas le travail de l'imagination, ce sont les galops du réel pour la rencontrer.

« Qu'est-ce que vous diriez d'un type qui tient la barre d'un cargo, une nuit très noire, sur l'Atlantique nord, encore... en avril, de nouveau... et qui soudain, parce qu'il pense au *Titanic* et qu'il est né en avril 1912, mois de la catastrophe, se sent pris d'angoisse au point de perdre son contrôle, de s'affoler et d'actionner la cloche d'alarme ?

— Je dirais...

— Attendez... Qu'est-ce que vous diriez si vous saviez que l'équipage alerté vient à la rescousse et manœuvre juste à temps pour éviter de justesse un gigantesque iceberg ?

— Je dirais que c'est du roman pour extralucides...

— Vous avez raison — en admettant que le Lloyd's écrive des romans et que la plus célèbre des firmes d'assurances introduise dans ses polices une clause d'extralucidité... Car l'histoire que je viens de vous raconter est bel et bien consignée dans les annales du Lloyd's au mois d'avril 1935. L'homme de barre s'appelait — et s'appelle encore — W.C. Reeves... C'est un Anglais. Le nom de son bateau — un charbonnier — était le *Titanian*... Le lieu de rencontre avec l'iceberg était tout proche de celui qu'avait imaginé Robertson, et de l'endroit où le *Titanic* sombra... Et ce sont deux brise-glace américains, l'*Imogène* et le *Caribou*, qui tirèrent d'affaire le *Titanian* dont une hélice s'était brisée. »

Titan... Titanic... Titanian... Je ne sais s'il y a encore des armateurs pour donner à un navire un nom qui rappelle celui du fils du Ciel et de la Terre — mais pour ce soir, j'en ai assez entendu. Et je comprends mieux les passagers qui fuient le contact du naufrageur.

Ce n'est pourtant pas faute d'aimer la tragédie. S'ils préfèrent qu'il ne soit pas question de paquebot, ils se montrent très assidus aux conférences qui « préparent » les escales du Chili et du Pérou par le récit détaillé des sanglantes épopées de la colonisation.

Egorgements, écartèlements, garrots, flagellations, mises aux fers — les conférenciers, qui vont dans le sang de l'Histoire, n'omettent rien. Ils ont affaire à un public de choix : les supplices sont raffinés et racontés avec un luxe de détails inouï — mais écouté avec délices. Toute l'assistance est sous le charme lorsqu'on lui décrit la dernière entrevue de l'empereur Atahualpa avec les Espagnols. Après les avoir couverts d'or, l'Inca entend ses invités lui demander :

« Que préférez-vous maintenant... Etre brûlé vif ou étranglé? »

Ils n'emploieraient pas un autre ton pour dire :

« Avec ou sans glace ? »

L'or et le sang... incomparables ingrédients pour exalter la passion du public. Quand M. Godlewski racontera qu'aux Moluques, à l'arrivée des compagnons de Magellan, les indigènes, qui ne connaissaient pas le fer, *l'échangeaient poids pour poids contre l'or,* la salle sera parcourue d'un frémissement de stupeur, de oh !, de ah ! où l'on décèlera non seulement l'étonnement mais un certain regret de n'avoir point été là à temps.

On n'y est pas. Pour le moment, tandis que le paquebot s'apprête à rejoindre les lieux du crime, c'est l'épopée de Magellan qui est glorifiée; le sort fantastique de ce petit homme trapu, barbu, bourru — plutôt antipathique, dit le conférencier sans crainte d'être poursuivi en diffamation par un Magellan junior; le destin unique de ce proscrit, premier à prouver à la terre incrédule qu'elle est ronde, premier à « faire la décision » en passant la où personne n'est encore passé.

Tout le monde est là, porte-malheur au premier rang, pour entendre évoquer l'histoire de ce bâtard de génie qui, n'ayant pu convaincre le roi de son Portugal natal, signe contrat avec le roi d'Espagne et reçoit *le gouvernement de toutes les terres à découvrir avec tout pouvoir de garder deux îles sur six.*

Ce pourcentage laisse l'audience rêveuse, mais elle est aussitôt rappelée à la réalité par les malheurs du héros : après avoir failli périr sous les coups de ses capitaines félons, il procédera à leur exécution dans les formes — tribunal tropical d'Espagne, jugement sommaire, écartèlement des cadavres attachés aux cabestans (les cabestans et les vergues servent beaucoup dans les récits).

Débarrassé de ses ennemis, Magellan va faire le *break* (sans le savoir) et, battant tous les records de Chichester et Le Toumelin, aller de la pointe de l'Amérique du Sud aux Moluques en 98 jours.

Temps non compensé par l'ingratitude des hommes, ni par la cruauté de sa fin.

Lorsqu'il arrivera aux Moluques fatales avec trois galions sur cinq, cent hommes sur trois cent soixante-cinq auront été décimés par la dysenterie, la cachexie, l'insolation, et seront morts comme des mouches après avoir mangé des rats et jusqu'au cuir des vergues : 100 hommes de galion 1521, cela vaut bien 300 naufragés de paquebot 1974. On sent que pour la circonstance, le Titanicman serait prêt à abandonner le chiffre des minimums fixés par l'éditeur.

Après tant d'obstacles vaincus, tant de trahisons déjouées, tant de mers inconnues franchies — se risquer dans une expédition inutile sur un îlot des Moluques pour prouver la force de sa cuirasse à un radjah — c'est pourtant bien ainsi que le malheur scelle la réussite : jeté contre les récifs, empêtré dans son armure, attaqué par les anthropophages qui criblent de flèches ses jambes non protégées, Magellan finit percé d'un coup de lance.

« On ne saura jamais, dit le conférencier, s'il a trouvé une sépulture ou s'il a été dévoré. »

« Pour moi, m'a déclaré le porte-malheur, il n'y a aucun doute : Magellan a été mangé. »

Là-dessus, le Titanicman est allé déjeuner.

Les approches du détroit de Magellan, ses lacets, ses bas-fonds, les brumes qui souvent le recouvrent, le déchaînement des vents, les écueils possibles pour un paquebot de la taille du *France* entre la Patagonie et la Terre de Feu — tout cela le survolte.

Un autre conférencier va combler ses plus secrets désirs. C'est un Américain dont le français est assez particulier : pour dire qu'il y avait de l'atmosphère, il dit que c'était assez atmosphérique. Il évoque les conditions dans lesquelles Magellan aborde cette passe née de sa seule imagination et qu'il trouve 2 000 kilomètres plus au sud qu'il l'avait située. Ces 600 kilomètres de mer, dont il ignore s'ils sont 10 000 ou 500, ces détroits qui porteront son nom, il va les franchir en 37 jours alors que le *France* les traversera en 13 heures.

Pour mieux faire comprendre le climat d'incertitude qui régnait sur les galions, l'angoisse devant l'inconnu, la terreur de déboucher dans un océan que nul n'avait pénétré, l'orateur livre son audience aux plus fantastiques suppositions :

« Imaginez que vous pénétrez dans la brume de ces détroits, sans pilote. Imaginez que cette première fois sera peut-être la dernière, que vous entrez dans ce dédale pour ne plus jamais en sortir, que, sur le *France* vaisseau fantôme, vous allez prendre dix mille fois, cent mille fois la même tasse de thé, voir chaque soir les mêmes gens, participer chaque soir au même gala en faveur des Œuvres de la Marine, qu'il n'y aura plus jamais pour vous de terre, que votre sort dépendra pour l'éternité du Commandant Pettré, seul maître à bord après Dieu, mais là, on pourrait dire avant... »

L'auditoire frissonne. Le commissaire est inquiet. C'est un homme courtois, affable, cultivé, qui cultive la bonne humeur et la sérénité dans les pires moments d'exaspération. S'il vous refuse quelque chose, c'est avec un tel sourire et tant de précautions qu'on le remercie presque autant que s'il vous l'avait accordé. Peu de temps après mon embarquement, je lui avais demandé de me citer quelques-unes des histoires les plus extravagantes dont il avait été témoin en vingt ans de carrière. Au bout de quelques jours de réflexion, il m'a dit :

« J'ai bien pensé à ce que vous m'avez demandé mais vous savez... sur un bateau... que voulez-vous qu'il arrive ? Franchement il n'arrive jamais rien de bien extraordinaire... »

Craignait-il que je déforme — et même que je déformasse — une anecdote en la repeignant en cale sèche ? Ou que je fisse naître une alarme là où il n'y avait eu qu'un moment d'inquiétude ? Je ne sais, mais cette histoire de vaisseau fantôme et du *France* condamné à voguer sur les mers à perpétuité (tel ce navire d'*Au Grand Large* où Jouvet, barman translucide, servait des drinks aux âmes, chaque soir au théâtre des Champs-Elysées) non... le commissaire n'a pas aimé. Il n'était déjà pas partisan du *badge* :

The Ultimate Odyssey, mais là, franchement, c'est excessif. Ce ne sont pas des idées à donner à des passagers. Et puis la Compagnie générale transatlantique a déjà du mal à équilibrer son budget : des passagers pour l'éternité, ça irait chercher trop loin.

Le spécialiste des grandes catastrophes maritimes est aux anges. Il n'en espérait pas tant. Cette navigation sans fin non prévue par les assurances lui ouvre de fascinants horizons. Il extrapole, il extrapôle : le *France* perdu dans les brumes... le pilote chilien s'est saoulé, il se trompe de chenal, le navire dépasse le cap Horn, s'enfonce dans les glaces du pôle Sud... Pour faire plus vrai : des manchots en habit de soirée. Et toujours sur le pont la dame qui confond le Printemps et les Galeries, les Mayas et les Incas, Bayreuth et Beyrouth :

« Au pôle sud, Gaston, c'est des pingouins ou des manchots ? »

La réalité va consterner le porte-malheur.

On ne saurait dire que la mer est d'huile — par ces temps de pénurie énergétique, ce ne serait pas convenable — mais, entre la Terre de Feu et cette Patagonie dont on vient de nous rappeler que les Espagnols avaient prélevé quelques spécimens humains aux pieds gigantesques pour les enchaîner à fond de cale et les rapporter en Espagne, aux abords de ce même cap Horn où le mauvais temps sévit, paraît-il, en permanence, le navire glisse comme dans un fjord norvégien en juin. Les glaciers reflètent leurs cimes dans l'eau bleue comme sur un lac italien. Il fait doux comme dans le Midi.

Bref, on croirait être ailleurs.

Commentaire d'un passager sur le pont :

« On passerait le cap Horn en pédalo ! »

Le Titanicman est accablé. La table même ne lui apporte aucun réconfort. A ses côtés une querelle de ménage éclate : il ne prendra pas de nouilles, elle y tient !

« Enfin, chéri, nous n'allons pas faire la Terre de Feu en nous disputant pour des pâtes ! »

Ces pâtes finissent d'aplatir notre homme. Ecœuré, il remonte sur le pont. Je l'y rejoindrai tout à l'heure. Le spectacle est toujours superbe et le *France* avance au pied des montagnes sous un ciel radieux, sur une mer lisse. Je risque un : *C'est beau non ?*

« Très joli, mais c'est vraiment pour la photo... Je ne voudrais pas vous gâcher votre plaisir mais c'est du cinérama. Il faut voir ça comme je l'ai vu il y a deux ans, dans les nuées. Un brouillard à couper au couteau — et puis, brusquement, sous l'effet d'une rafale de vent, une déchirure sur les glaciers étincelants. Du Wagner. *Le Vaisseau fantôme* pour de bon. Ça, c'est kiki... »

Kiki Magellan, je n'y avais pas pensé.

IV

NAPOLÉON MANGÉ PAR LES FRANÇAIS

IL est étrange qu'aucun psychiatre, aucun sociologue, bref quelque spécialiste en atre ou en ogue de notre univers d'homologues peu folâtres, ne se soit encore penché (avec cette manie qu'ont les gens de se pencher tout le temps sur quelque chose) sur le phénoménal phénomène d'identification de l'*homo gallus touristicus.*

Il n'est pas seulement la France, la France marchante, la France allante, la France pensante, hexagone ambulant à Cotentin chercheur, toujours prêt à sortir de sa poche son mètre-étalon de la tour Eiffel pour mesurer ce que les choses ont en moins ou, à regret, en plus.

Paquebot, médecin, rognons, Napoléon ou caméra — il devient tout.

Cette affirmation pouvant paraître démente, il me faut essayer de lui donner raison. Pour sa métamorphose la plus chère, le Français dispose sur le *France* du seul musée du monde que l'on mange et qui ne soit ouvert qu'aux heures des repas. Les plus belles salles du *France* sont des salles à manger. Quoique sans cesse dévorées, ses collections de natures mortes ne cessent de s'enrichir au gré des escales : cherrystones du Maine, crevettes géantes de Bahia, *red snappers* des Caraïbes, huachinangos du Pérou, nids d'hirondelles de Hong Kong — tout est immédiatement naturalisé : à peine répertorié par le maître commis de maistrance, le thazard des Galapagos devient Castel de Nérac et le mérou de Polynésie, perdant son exotisme, est servi Dugléré.

Ainsi tenons-nous le monde sinon par la langue, du moins par le palais — qui fait plus « prestigieux ». Avec les maîtres-queux, tout est prestigieux, depuis le consommé Colbert jusqu'aux épinards à fleurons en passant par le homard Pompadour et les rognons Henri IV. La plus humble des nouilles est sacrée Dubarry et le plus plat des œufs devient Cambacérès (il n'y a guère que les olives et les navets à ne pas avoir de parrains).

⁂

En regardant Américains, Japonais, Australiens se régaler dans des salles à manger dénommées Chambord, Versailles, Trianon, le Français satisfait a l'air de se dire : « C'est un peu moi qu'ils goûtent », tandis que Japonais, Australiens, Américains se demandent si nous mangeons tous les jours des poulardes Metternich ou des cœurs de laitues Marie Stuart (combien de rois, de princes, de reines décapités finissent en cuisine, hachés menu par les Français qui n'hésitent pas, lorsqu'ils n'ont plus rien à se mettre sous la dent, à faire cuire l'ennemi en baptisant Wellington un filet de bœuf en croûte !).

Prestige, prestige, quand tu nous tiens...

Dans un univers bien fait, où la Suisse s'occuperait des banques et l'Allemagne de la musique, la France pourrait avoir le ministère du Prestige. Et l'installer, bien entendu, sur *France*.

Rien de tel qu'un paquebot pour maintenir le prestige; ça a de l'allure, du panache, ça fait des vagues de naissance, ça sort des rades en roi : les dauphins jouent devant son étrave; ça sort en reine dans les ports, escorté par les abeilles — hermaphrodite excitant sans cesse la verve des stylistes acharnés à savoir s'il faut dire, comme la *Jeanne d'Arc, la France, France* ou *le France*.

Très attaché aux lettres, qu'il aurait pu enrichir par un traité de l'exclamation, le général de Gaulle y était allé molo, très molo même, le jour du lancement : « Vive le *France* ! Vive la France ! », s'était-il écrié, ne voulant désobliger personne ni trop s'avancer sur l'eau.

Le *France, France,* la France plaisaient bien au Général (pavillon haut et grand pavois au vent, naturellement), mais il ou elle lui eût plu davantage encore aujourd'hui : il est le plus beau, il est le plus long, il est le plus haut, il peut flotter comme le franc mais en maintenant sa parité fixe, et surtout il est seul, le *France*, seul de sa taille à traverser les océans, tellement seul qu'à voir aussi peu de monde autour de soi un soir de tempête, on en a la gorge serrée.

Mais passons de l'homme qui incarna la France au passager qui, simplement, a le *France* dans la peau. Quand j'écris que le *France* c'est lui, je ne parle pas seulement de cette ivresse qu'il éprouve à sentir les papilles de « l'univers entier » chatouillées par les rognons du roi Henri comme si c'étaient les siens (amour-propre au Français réservé ? Sans doute ne faut-il pas être Français pour écrire : « Il n'y a pas d'amour plus sincère que l'amour de la nourriture. » Si ce Français s'appelle G. B. Shaw, ce n'est pas de ma faute).

Laissons donc ces rognons et retrouvons ailleurs ce phénomène à transformations.

Cet homme qui fut naguère auto (« Si je marche

à 120/130 je commence à faire un peu d'huile... ») comment devient-il bateau ? Il change simplement de vitesse et, du singulier, passe au pluriel :

« Croyez-moi... Nous faisons nos 30 nœuds bien tassés ! »

Ceux qui ont fait le dernier tour du monde du *France* à une époque où la crise pétrolière « posait des problèmes » de ravitaillement ont entendu plus d'un voyageur (très bien renseigné) affirmer :

« Nous mazouterons à Callao, c'est sûr, mais du côté de Zanzibar, pardon... quelle histoire ! »

Un autre « nous » résonne encore à mes oreilles : celui, tranquille et assuré, d'un vieux baroudeur de croisières, tandis que le soleil se couchait sur les défilés sanglants de Corregidor :

« Ce soir, nous attaquons la mer de Chine ! »

Avec la Légion d'honneur à la boutonnière. Car, sur ce morceau de France navigante, la Légion d'honneur est fortement représentée. Quoique tous les manuels de savoir-vivre recommandent de ne point porter de décorations à l'étranger, le *France* étant la France, on descend à Hong Kong ou à Durban avec sa rosette ou son ruban, sans complexe. Aux approches de Sainte-Hélène, il y aura, entre une conférence sur la mort de Napoléon et une démonstration de golf *(en anglais)*, une « réunion des membres de la Légion d'honneur au Salon Deauville »...

Passer des rognons à Napoléon peut paraître incongru et pourtant j'y suis tout naturellement amené.

Un conférencier ayant rejoint au Cap pour préparer comme il convenait l'escale de Sainte-Hélène, déclara d'entrée :

« Je reviens de Paris, un Paris maussade, englué de grèves, de manifestations, d'ennuis de toutes sortes et je voudrais vous dire d'abord ma joie de me retrouver parmi vous dans ce havre de paix... »

La joie du conférencier était sans doute sincère, et la vie sur le *France* meilleure qu'à Paris, mais cet homme habile savait bien ce qu'il chatouillait : son préambule fut salué par un tonnerre d'applaudissements. Le vrai Paris, les passagers l'avaient amené avec eux. Voyageant à bord du *France*, ils faisaient voyager la France.

Le lendemain, ils devenaient médecins. Le conférencier — un autre — aussi bon que le premier (je n'ai jamais entendu d'aussi bons conférenciers que sur le *France*), médecin de métier mais conférencier de nature, évoquait les derniers moments de Napoléon à Sainte-Hélène.

« Napoléon, dit-il, était atteint d'hépatite...

— Ma nièce aussi ! » confie une dame du premier rang à sa voisine assez haut pour que l'orateur lui-même l'entende.

Une seconde interloqué par ce phénomène d'identification au troisième degré, il n'en poursuit pas moins son récit. On voit l'Empereur déchu soumis aux humiliations de Hudson Lowe. Regard faux, espion, dissimulé, tatillon, minutieux, adjudant de quartier — le gouverneur anglais est peint sous ses aspects les plus noirs, et même les plus noirâtres puisque, s'inquiétant de ne plus voir le « général Buonaparte » circuler dans Longwood, il va jusqu'à se servir d'une échelle pour l'épier sur sa chaise percée.

« Dégradant ! » juge le conférencier approuvé par le jury à l'unanimité.

Stigmatisée également l'ignorance d'Antommarchi, médecin de Napoléon, *bon anatomiste mais piètre Esculape.*

Vomissements, matières rejetées en bloc, caillots, ballonnements, vertiges, selles fuligineuses — devant ce formidable déballage restitué par le menu, l'assistance, aussi haletante que si elle ne connaissait pas la fin de l'histoire, va laisser passer l'heure du déjeuner (c'est peut-être mieux).

Mais que dit Antommarchi ?

« Fièvre gastrique bénigne ! » s'exclame l'orateur, moqueur.

... Devant ce diagnostic dément, l'assistance pousse de tels « Oh ! » qu'on la jurerait gastro-entérologue.

« Et savez-vous ce qu'Antommarchi lui prescrit ce 3 mai ?... Une alimentation substantielle et DIX GRAINS de calomel ! 53 centigrammes de calomel ! »

La réprobation est générale. Autant dire l'indignation. Pour ma part... le conférencier aurait pu dire 10 grammes de belladone ou trois tasses de bourdaine, cela m'aurait fait à peu près le même effet. A l'encontre de tant d'experts, je ne sais ni ce qu'est le calomel, ni les méfaits qu'il peut engendrer en pareilles circonstances.

Les derniers moments de l'Empereur, son agonie, les derniers mots recueillis (« ... A la tête de l'armée... ») vont faire croître l'émotion. Certains pleurent comme s'il s'agissait d'un deuil récent, voire de leur propre mort.

Il est clair que les humiliations subies par Napoléon, la façon *ignominieuse* dont son geôlier, *voyeur sadique*, le traite, l'insulte faite à son titre d'Empereur et de Majesté impériale lorsqu'on rend à sa dépouille *les honneurs dus à un général britannique* — tout cela est ressenti par les personnes présentes comme par autant de Napoléons.

Napoléon, c'est eux.

Mais ceux qui se sentent suprêmement offensés par la réflexion de Hudson Lowe devant le corps de l'Empereur : (« Il était le plus grand ennemi de l'Angleterre et le mien. Je ne lui en veux pas. »), trouvent tout à fait normal de dire à propos du déjeuner manqué :

« Ça m'est égal. Des émotions comme celles-là, ça me coupe l'appétit ! »

Le soir, avant le dîner, je vois une dame éplorée. Napoléon encore ? Non. C'est tout de même plus personnel : elle vient d'apprendre que sa belle-fille est gravement malade. Alors, éclatant en sanglots, elle me dit :

« Il y a toujours quelque chose qui vous gâche tout ! »

Ah ! Comme on pleure bien sur soi-même ! Le seul étalon stable, le plus vrai, ce n'est pas l'étalon-or, c'est l'étalon-soi.

Je ne sais si tout finit en France par des chansons, mais tout y finit en cuisson.

Napoléon rejoindra Wellington à la cuisine avec un faste à nul autre pareil.

S'il est un lieu où des gens sains d'esprit peuvent se prendre pour Napoléon sans faire sourire, c'est bien celui-ci. Car c'est en Napoléon que tous les Napoléons du bord vont participer bientôt au dîner napoléonien — en Napoléon, en Joséphine, en Marie-Louise, en généraux chamarrés ou maréchaux d'Empire. Au son de la marche consulaire, au rythme des sonneries d'Empire. Tout y sera consommé, depuis les *œufs de Sterlet de la Moskova givrés* (autrement dit du caviar), jusqu'aux *asperges blanches de la Malmaison Walevska* en passant par le *pintadeau Grande Armée*, le *tournedos Madame Mère* ou (au choix) le *coquelet Métairie farci Betzy Balcombe* — jeune Sainte-Hélènaise que l'Empereur, dit-on, se farcit lui-même.

Pour finir, la comtesse Bertrand dont le conférencier a stigmatisé l'attitude vertueuse face aux « avances terribles » de l'Empereur, aura ce qu'elle mérite : le *parfait glacé comtesse Bertrand.*

Il paraît que son refus de dîner à Longwood avec l'exilé fut une raison de disgrâce.

Ce soir, on dînera pour elle.

Pauvre vertu ! Malheur à ceux qui prendraient au sérieux les fausses couches successives de cette honnête épouse ! Comptabilisées par le conférencier (« elle en relève... elle y retombe... on attend la suite... »), elles provoquent l'hilarité de l'auditoire où l'élément féminin domine.

Malheur à ceux qui comprennent le comportement réticent de la comtesse devant un homme dont tout indique qu'il avait à la fois mauvaise haleine et mauvaises manières.

Malheur à ceux qui, songeant à tant de millions de captifs innocents traînés hier vers les fours et les chambres à gaz dans des wagons à bestiaux, pensent qu'il est difficile de parler d'enfer et de martyre pour un chef de guerre servi par un valet de chambre en livrée, un maître d'hôtel, un valet de pied et une cinquantaine de personnes dont dix marins britanniques qui auront quitté l'uniforme anglais pour porter la tenue aux aigles impériales.

Malheur à ceux qui ne s'apitoient pas sur le sort d'un prisonnier dont le conférencier dit qu' « après avoir sillonné l'Europe, il a pour domicile un domaine qui se limite à deux arrondissements de Paris ».

Malheur à ceux qui sourient en voyant ce conférencier devenu guide, faire à Longwood le tour du propriétaire. Sainte-Hélène, c'est son fief : il en connaît tous les sentiers, tous les vallons, tous les rochers. Il a si souvent fouillé les papiers de l'Empereur, il s'est tellement imprégné des termes de son testament, du plan de ses batailles comme de la façon dont il porta ses derniers vêtements — qu'il finira, comme mon conservateur d'Albi, par ressembler à son héros. Il semble devenu le légataire universel, l'usufruitier de ses biens. Comparant le chemin découvert qui menait à Longwood en 1820, et celui d'aujourd'hui, il s'écrie :

« Il y a là des arbres qui n'ont rien à faire ici ! Rien de tout cela n'existait ! On a même planté du gazon anglais. C'est un comble ! »

Il n'envoie pas dire aux Anglais qu'en voulant faire mieux ils ont fait moins bien et que leurs arbres, en grandissant, fichent tout par terre.

Malheur à ceux qui songent, devant tant de béatification posthume, que Napoléon laissa la France plus petite qu'il ne l'avait trouvée et qu'un jour viendra peut-être, dans cent ans, où sur un *Deutschland* de 300 mètres, un conférencier allemand décrira le calvaire de Hitler.

Malheur à ceux qui n'observeront pas autour de la tombe — vide — de l'Empereur, les rites qui s'imposent. Certains s'agenouillent; d'autres prennent une poignée de terre et la serrent dans un sac de plastique; une dame se signe. Un ménage bernois, qui osait échanger ses impressions à voix basse en suisse alémanique, s'est fait vertement rabrouer par un de nos compatriotes :

« Taisez-vous ! Je me recueille ! »

Le Bernois n'en est pas revenu. Le soir, dans un

coin du fumoir, et sur le ton d'une confidence, il me dit qu'il y avait tout de même beaucoup de lingots suisses dans les 200 millions d'or découverts aux Tuileries, et encore plus de soldats suisses dans les armées de Napoléon [1].

Malheur enfin à ceux qui, redoutant les traîtrises de l'abordage au ponton glissant de Jamestown, ne sont pas descendus.

On pardonne aux Américains. Pour eux, Napoléon, c'est de l'histoire ancienne. On ne peut pas leur en vouloir. Surtout quand on pense que *leur* conférencier a évoqué l'épisode « fameux » de la chaise percée en expliquant :

« *Here he sat for hours. He was a very constipated chap* [2] *!* »

Dans ces conditions, il n'y a plus qu'à tirer l'échelle surtout, si l'on pouvait, celle de Hudson Lowe.

Napoléon un *old chap* constipé, tout de même...

Avec les Anglais, c'est différent : ils peuvent avoir des complexes, mais il y avait et il y a encore plus de sociétés pour la protection des droits de l'Empereur en Angleterre qu'en France... Alors...

En revanche, on regarde de travers ce Français que les excursionnistes, de retour de Sainte-Hélène, trouvent sur le pont se prélassant sur un matelas, et qui n'est pas descendu du tout.

1. Les gens adorent les questions d'argent : « Combien l'Empereur a-t-il laissé ? Que sont devenus les lingots ? Les héritiers ont-ils bien touché leur argent ? » Un conférencier révèle qu'il avait laissé 6 millions, lors de son départ, au banquier Laffite : « Quand il mourut il en restait 3 (exclamations de l'assistance)... Il avait escompté 5 % d'intérêt mais comme il s'agissait d'un dépôt, Laffite ne l'entendit pas ainsi. D'ailleurs, 3 millions, ça fait encore beaucoup. Il faut multiplier par 100 ! » « Par 200 ! » s'exclame un auditeur inflationniste. On montera à 300.

2. « Il s'asseyait là pendant des heures. C'était un type très constipé ! »

La rumeur se répand, une délégation se forme. On veut savoir, on désigne un mandataire pour aborder le suspect et en tirer les mauvaises raisons.

O vérité qui seule me guides et me portes à te transcrire... Vérité de Galilée ou de série B, aide-moi à te faire avaler ! Tu me parais parfois un peu grosse.

Le tire-au-flanc a eu une crise d'hépatite.

Tout le monde s'incline devant ce transfert miraculeux. Et l'indignation vire au respect.

« On a beau dire, dit une dame, il y a tout de même quelque chose dans l'air. Moi-même, ce matin...

— Ça doit être le pintadeau Grande Armée qui n'aura pas passé ! » dit l'homme allongé, collant à la réalité.

Il est risqué, après Napoléon, de parler d'un autre phénomène d'identification. Et pourtant, comme celui-ci a été enregistré le soir où le *France* a quitté Sainte-Hélène, je crois être objectif en le situant ici. D'autant plus qu'il s'agit d'un homme-caméra.

Je ne sais pas pourquoi on ne nous le dit pas, mais Sainte-Hélène, c'est très beau. Ça peut être sinistre, mais c'est très prenant. Une preuve ? M. le Consul de France, Gilbert Martineau, qui y réside depuis sept ans, n'abandonnerait pas sa place pour un empire. Il m'a confié qu'il ne redoutait qu'une chose : être nommé à Florence. Evidemment ces considérations ne sauraient arranger les historiens et les auréoleurs de martyrs : il importe que le lieu d'exil de l'Empereur demeure inhabitable.

Noire le matin, rouge le soir, Sainte-Hélène est une des plus fantastiques forteresses que la nature ait jamais fait surgir en plein océan. Si je dis fantastique, ce n'est pas par amour des superlatifs, c'est parce que avec son cratère de volcan à moitié abîmé dans les flots, ses falaises vertigineuses, ses énormes à-pics rocheux — Oreille d'Ane et Porte du Chaos — Sainte-Hélène prend, dans le rougeoiement du crépuscule, l'aspect fantomatique d'un dessin de Gustave Doré.

Et mon homme-caméra là-dedans ? J'y viens.

J'avais salué comme il convenait, dans les années 50, l'entrée de l'homme dans l'ère leicaire et l'apparition sur son nombril de diverses protubérances à lentilles semblables à un troisième œil. On se croisait déjà en disant : « Vous ouvrez à combien ? » Le mal s'est développé. Bardé de flashes, de zooms, d'objectifs télescopiques, atteint de photocémie aiguë, le voyageur est devenu l'esclave de sa divinité. Il interpose entre son œil et la réalité un objectif de plus en plus compliqué qui le prive d'objectivité : il ne voit pas les baies, les rochers, les volcans tels qu'ils sont. Il les regarde par son viseur, réduits à la dimension d'un timbre. Il les voit tels qu'il les verra dans trois mois, un soir, à Montmartre ou à Viroflay, quand il montrera ses diapositives aux amis.

Ce soir-là, comme le *France* longeait les précipices de Sainte-Hélène et allait passer devant la Porte du Chaos, j'abandonnai un instant le spectacle pour aller chercher un chandail dans ma cabine. En traversant le bar je dis à un passager affalé dans un fauteuil :

« Vous devriez aller voir ça. C'est formidable. C'est peut-être ce que nous avons vu de plus beau aujourd'hui !

— J'irais bien, me dit le voyageur, mais je n'ai pas mon appareil avec moi... »

Et il resta.

Veuf.

V

QUAND LES SIÈCLES ONT DES YEUX

La littérature des dépliants et plaquettes touristiques me fait souvent penser à ce monde-modèle des grammaires anglaises de ma jeunesse — *Boys and Girls Own Book,* 1re année — où Alice Rod, après avoir passé ses vacances dans le verger de sa tante, réputée pour ses confitures, et s'étant abandonnée au charme des *daffodils* (qui deviennent en français des jonquilles), prépare son cartable neuf pour aller à l'école. Qu'a-t-elle oublié, l'étourdie ? Son tablier ! Pour cette première irrégularité la maîtresse, stricte mais juste, ne lui donnera pas à conjuguer un verbe irrégulier. Mais l'on sent qu'avertie par cette non-leçon (comme on ne disait pas encore), Alice Rod n'oubliera jamais rien.

Le soir, Alice retrouve autour du foyer sa petite sœur, son frère aîné qui jouent sagement chacun de leur côté, comme il convient pour l'équilibre du dessin (si ces enfants n'étaient pas sages comme des images, où le seraient-ils ?) sous le regard souriant de maman et en présence des grands-parents — deux seulement : ce doit être ceux de la maman. On ne dit pas ce que sont devenus les autres... Ce serait trop triste, ou ça ferait trop... On suppose que, n'étant pas couchés sur le papier, ils le sont sous la pierre. Le grand-père porte dans sa barbe blanche toute la sagesse de l'univers; de son index savant, il enseigne quelque chose à son gendre qui recueille, agenouillé, l'expérience de l'âge.

Dans cet univers sur mesure où l'on ne se dispute jamais, tout semble prévu pour la grande excursion de la vie en quatre couleurs : vert le printemps qui fait éclater les bourgeons le 21 mars, bleu l'été et son ciel conforme, jaune l'automne, rouge l'hiver avec son Père Noël, ses rouges-gorges et ses flocons blancs qui tombent pile le 25 décembre.

Si la littérature des dépliants me fait retourner au lycée, ce n'est sans doute pas sans raison : un professeur de 6e, dont le verbe était le cheval de bataille, nous avait fait entrer en guerre contre les verbes auxiliaires :

« Toutes les fois que vous pouvez remplacer *être* ou *avoir* par autre chose, n'hésitez pas ! « Il est trois heures », d'accord. Mais : « Elle avait six francs dans son porte-monnaie » — non ! Elle *disposait de,* elle *comptait,* elle *possédait...* »

C'est ainsi que peu à peu nous en étions venus à posséder, à disposer, à détenir, à compter, à comprendre, à constituer. Jamais être ou avoir été.

La plaquette que j'ai sous les yeux suit à la lettre les recommandations de ce maître. Avec 550 000 habitants Auckland n'est pas la ville la plus importante de Nouvelle-Zélande : elle *constitue la cité la plus peuplée.* On parvient à Queen Street, *la rue principale, par des artères adjacentes* (ô mes angles adjacents ! Comment aurais-je pu supposer que je vous retrouverais un jour dans une rue de Nouvelle-Zélande !). De Wellington, la capitale, qui *abrite* le Parlement, ce serait peu de dire qu'elle est fort bien située : *elle bénéficie d'un site exceptionnel.*

Ainsi parlent les dépliants. Un voyage ne se fait pas. Il *s'effectue.* C'est un *périple* qui *comprend* plusieurs phases. On comprend mieux, dans ces conditions, que *l'amplitude journalière des températures confère à la Polynésie des nuits fraîches très appréciées.*

En général, les villes *composent des ensembles urbains dignes d'intérêt* (l'indignité n'est jamais relevée) au centre desquels il importe de *jouir* de l'animation, toujours *très vive.*

Ce qui rend la lecture de ces fascicules plaisante, c'est que l'on ne cesse guère de jouir — de la fraîcheur des nuits, de la douceur des soirs, de la diversité de la flore, de la variété du folklore, de la robustesse de la faune — quand ce n'est pas, plus simplement, à propos de ces hôtels où l'on ne fait que passer pour le déjeuner — de la nourriture *saine, abondante et variée.*

Les randonnées sont vastes, la végétation luxuriante, les prairies verdoyantes, la lumière éclatante, les torrents tumultueux, les halls spacieux, les pics majestueux, les contrastes frappants, le spectacle saisissant, les danses caractéristiques, les collines escarpées, les plantes aromatiques, les requins voraces, les ours espiègles, les traditions vivaces [1]. Les falaises surplombent, les montagnes s'élèvent, surpassant en splendeur, dominant en hauteur toutes celles qui ne sont pas là. On les gravit par des routes en lacet avec des virages en épingle à cheveux. Je me suis longtemps demandé pourquoi on se servait

1. Lorsque Georges Mandel, futur ministre, fit ses débuts de journaliste à *L'Homme libre,* dirigé par Clemenceau, son style n'était pas simple. Ayant lu un de ses papiers, Clemenceau demanda au secrétaire de rédaction, Georges Gombault, de le faire venir : « En français, lui dit-il, une phrase comporte un sujet, un verbe, un complément. Quand vous voudrez ajouter un adjectif, demandez-moi l'autorisation. » La leçon dut porter ses fruits : Mandel devint plus tard chef de cabinet du Tigre.

tant d'épingles à cheveux pour qualifier les virages puis, ayant rêvé de virages en cheveux avec des épingles à lacets, je me suis demandé autre chose.

Mais revenons au texte. Les statues se dressent et les pics culminent. Parfois même ils « veillent jalousement sur les eaux scintillantes d'un lac d'émeraude dont ils constituent l'écrin ». Il n'est que de descendre vers la mer pour y trouver des perles — la plus belle étant celle que vous découvrez :Ceylan se dit la perle de l'océan Indien; les Seychelles aussi; l'île Maurice également (on trouve autant de perles dans la montagne : il y a au moins dix « Perles des Grisons »).

La description de l'une ou de l'autre reste à peu près la même. Ces îles paradisiaques sont dotées de falaises abruptes qui offrent de *saisissants contrastes* avec la *lumineuse clarté* des criques dans l'onde pacifique desquelles se reflètent les ondoyants palmiers. Bordées de plantes aromatiques, ces criques offriront aux Télémaques des Modern' Tours une tranquillité bucolique. Ne viendront la troubler que des chants folkloriques. Grâce à des habitants aux mœurs douces, empressés à vous fleurir et à vous rendre votre sourire, vous pourrez passer des nuits de lune sans trac dans ces baies dionysiaques. Aucun paranoïaque, aucun cloaque, aucune flaque ne viendra souiller la plaque de votre Kodak.

Ce qui ravirait mon maître de Janson, c'est le style animiste de ces dépliants où les siècles ont des yeux, où les pays comprennent, où les fleuves battent des records : l'Amazone, par exemple, est *d'une longueur inégalée* (on voit le Mississippi et le Dniepr s'essouffler à essayer de faire mieux puis, de guerre lasse, abandonner). Le XVIIIe siècle *voit arriver les*

Anglais qui, à cette époque, arrivaient partout.

Dans la biographie consacrée à *Vos conférenciers*, il est dit de l'un d'eux, spécialiste napoléonien : « *1939 arrive. La guerre le surprend à Sainte-Hélène.* »

On voit la guerre sournoise faire le tour du monde incognito, avant de se déclarer pour de bon, et, fouilleuse de Tropiques, prendre l'historien à revers en le sommant de choisir entre Napoléon et Elle.

On conçoit que l'expert en ait été spécialement affecté — la biographie ne précisant pas s'il devint affecté spécial à Sainte-Hélène.

Les experts Stephenson et Bodlowski ont déjà étudié ce phénomène dit « du nombril voyageur ». A l'appui de leur thèse (et de la mienne), je citerai deux cas frappants. Le premier est celui d'un général belge qui, dans les années 50, sollicitait une baronnie en décrivant au premier ministre Spaak *sa brillante carrière militaire malheureusement interrompue par la guerre.* Il aurait dû être cité à l'ordre de l'armée.

Le deuxième cas a été observé sur un court de tennis à Paris. J'y rencontrais, pour la première fois depuis vingt-cinq ans, un excellent joueur doué d'un style des plus classiques. Après un quart d'heure de balles, comme il s'apprêtait à servir, je lui dis :

« Dis donc... Tu joues aussi bien qu'en 39 ! »

A quoi il me répondit :

« Ecoute, c'est bien simple... Y aurait pas eu la guerre, j'passais en première série ! »

Il y a toujours quelque chose qui vous gâche tout.

Mais je me suis trop étendu sur le nombril. Je reviens à nos dépliants.

Bien entraîné ce soir je pourrais remettre un devoir à M. Plique :

Au pied des vestiges des civilisations passées, j'ai vu des foules bigarrées dans des quartiers très pittoresques où les habitants se livrent aux activités les plus variées dans des magasins fort bien achalandés. J'ai joui de l'extraordinaire animation du centre de la ville aux mille corps de métiers et ne me suis pas endormi avant d'avoir apprécié pleinement la fraîcheur de la nuit.

Pourquoi faut-il qu'après le devoir de l'élève idéal succède la copie de la mauvaise tête ?

La ville est remarquable par sa ressemblance frappante avec vingt-deux villes du même genre dont le centre, à force d'avoir été déplacé, ne se trouve nulle part. Ici et là s'élèvent des édifices publics que l'on peut voir en passant mais que l'on peut très bien passer sans voir. A manquer tout particulièrement le vieux palais de style colonial coincé entre un parking de dix-huit étages et le siège d'une compagnie d'assurances.

Le zoo, naguère réputé pour ses girafes et ses panthères, ne l'est plus, et l'on trouvera nettement mieux à Berne ou à Amsterdam. La chaleur constante y maintient les fauves, les serpents, les ours dans un tel état de torpeur qu'à première vue on les croit tous partis. Le meilleur moment pour voir les animaux est celui où on les nourrit. Calculez donc soigneusement l'heure de votre visite : ce sera ou avant ou après.

Copie d'élève contestataire et dissipé : zéro.

Je vais essayer de faire mieux et m'appliquer à constituer un :

PETIT LEXIQUE DES TROPIQUES

Généralités de base

L'homme étant fait de 90 pour 100 d'eau et les

océans occupant les trois quarts du globe, la Terre devrait s'appeler la Mer.

Généralités particulières aux tropiques

Le Nouveau Monde et une bonne part de l'Ancien ont été découverts par erreur et par des hommes qui avaient raison d'avoir tort. Ces navigateurs, qui croyaient être aux Indes quand ils arrivaient à Wall Street, trouvèrent de l'or en cherchant des épices et bâtirent des empires sur des coups de folie.

Caractères physiques

Le physique de la géographie est le seul qui ait toujours du caractère et dont le caractère présente toujours trois caractéristiques :
a) la région côtière (climat tropical);
b) les vallées et les lacs (climat subtropical);
c) les hauts plateaux (nuits fraîches).

La plupart des pays comprennent trois régions naturelles principales (*Pérou, Inde, Brésil*). S'ils ne les comprennent pas, ils les comportent. S'ils sont suffisamment évolués, ils les comptent. Il arrive même qu'ils en jouissent et passent de la bande côtière aux hauts plateaux avec délices.

Quand les pays ne sont pas divisibles par trois, ils le sont par deux. Ceux qui ne sont pas divisibles ne comptent évidemment pas.

Bref aperçu d'histoire

Si les dépliants m'attirent par leur terminologie, leur façon d'apercevoir l'Histoire et de lui dire bonjour, en passant au-dessus de cinq mille ans d'événements, me fascine. On dirait une vieille connaissance perdue de vue depuis des siècles. Bonjour et au revoir, allez...

Sous les tropiques le *bref aperçu d'histoire* est presque partout le même. A peine prend-on le temps de dire bonjour aux Portuguais qu'ils sont chassés par les Espagnols lesquels sont évacués par les Hollandais auxquels succèdent parfois les Français. Tout ce beau monde est mis à la raison par les Anglais qui, après avoir chassé les occupants, *jouissent* de leur domination jusqu'à ce qu'ils se chassent eux-mêmes.

Dans les dépliants de langue française, les Français apportent toujours avec eux l'intelligence et la logique. Si cela ne colle pas, ils font preuve de bravoure et d'audace mais ne se conduisent jamais comme des sauvages, même s'ils les tuent. D'ailleurs ils ne tuent jamais sans raison, mais c'est la raison de Montaigne — et la différence. Ils ont une façon d'être battus par le nombre ou la fatalité qui n'appartient qu'à eux (ils la conserveront lorsque, n'ayant plus en possession qu'un ballon, ils succomberont à Wembley, de nouveau contre les Anglais).

L'accent est mis, bien entendu, sur leur côté chevaleresque. En ce temps-là, on savait se battre... *Exemple :* en 1805 les Seychelles *voient* arriver une flotte britannique. C'est ce que les Français voyaient arriver le plus souvent. Blocus, canonnade. L'amiral anglais avait à son bord sa femme enceinte. Il était sec. Elle était sèche. Le bébé risquait de mourir. On le fait savoir au gouverneur français de l'île, le chevalier de Quincy. Il désigne une nourrice noire qui, chaque jour, part pour le vaisseau amiral sur un petit radeau. Chaque jour la canonnade s'interrompt pour reprendre après la tétée. Mal récompensé de son geste, le Français mourra de la peste. L'amiral anglais demandera l'autorisation de débarquer un détachement pour lui rendre les honneurs. Accordée.

Deux ans plus tard les Anglais, cette fois sans enfant, débarqueront pour de bon.

Je reviens sur le pont. Au bureau des excursions, quelque part entre Bali et Hong Kong, une vieille dame demande :

« Pardon, Monsieur, j'ai la 186 B...

— Rose ou bleue ?

— Rose.

— Et... vous désirez, Madame ?

— Est-ce que vous êtes bien sûr, Monsieur, qu'en prenant mon avion à Hong Kong je pourrai rejoindre le bateau à Singapour ? »

La vieille dame — qui se souvient du temps où elle descendait à Laroche-Migennes pour prendre son café au lait quand le train du Midi s'y arrêtait, le matin, avant de repartir pour Paris — n'en revient pas d'en être arrivée là. Elle me rappelle mes premiers frissons baladeurs quand, sur le pont de Fontarabie, j'étais tout fier d'être photographié devant le poste frontière, un pied en Espagne, l'autre en France. On me reconduisait sagement à Guéthary tandis que parents et amis, téméraires explorateurs, se rendaient à la corrida de Pampelune. Ils ne reviendraient que dans deux jours ! J'en rêvais.

On allait en Espagne, on ne la faisait pas. Le chemin de faire n'était pas assez développé. Mais rien n'arrêtant le progrès, on n'allait plus tarder à faire la Grèce ou l'Italie; et à voir les premiers gladiateurs se livrer combat au retour de leurs campagnes. L'un partait à l'attaque avec un stylobate d'Agrigente; l'autre lui cognait la tête avec le poing d'Apollon Musagète. Limitées au bassin méditerranéen, les luttes étaient encore gréco-romaines.

Aujourd'hui c'est à coups de Comores, de Caraïbes, de Népal qu'on se bat. Bali d'accord — mais êtes-vous seulement allé à Srinagar ? On veut placer sa Jamaïque. On vous envoie sur les Seychelles.

On fait la Chine comme on faisait les lacs. En attendant le jour où la vieille dame, faisant la Lune, demandera :

« Pardon, Monsieur, à quelle heure arrive la fusée 32 B sur la mer de la Tranquillité ? »

Mais restons sur la terre avec M. Baedeker. Après une formidable ligne droite de plus de quarante ans (1872-1914) (seul passeport : le louis d'or), quelle route en lacet avec ces années tragiques qui étranglèrent par deux fois le tourisme ! Quel chemin parcouru depuis le temps où M. Karl Baedeker mettait en garde le voyageur nouveau-né contre les dangers du péril anglais — à commencer par l'anglais lui-même.

LANGUE : Pour voyager en Angleterre, il faut au moins une connaissance superficielle de la langue anglaise telle qu'elle s'écrit. Il y a bien à Londres des hôtels français où l'on peut vivre sans comprendre un mot d'anglais, mais, dès qu'on met le pied dans la rue, on se trouve hors d'état de s'expliquer. Les personnes qui viennent alors vous offrir leurs services doivent être reçues avec la plus grande réserve. Quand on ne sait pas bien prononcer l'anglais, car là est la principale difficulté, on se tire souvent mieux d'affaire en écrivant sur un morceau de papier l'adresse, le nom de l'endroit où l'on veut aller. On présente alors ce papier à la personne dont on désire un renseignement, au cocher qui doit vous conduire. On arrive au même but en montrant le nom dans le guide, sur un plan ou sur une carte. Le difficile ensuite est de comprendre la réponse, car les Anglais parlent vite, mais les gestes sont d'un puissant secours pour connaître une direction.

Baedeker recommandant de *ne s'adresser à un passant qu'en cas de nécessité absolue* et de *ne répondre à aucune question qu'un passant vous adresse, surtout en français* — on conçoit qu'il est difficile de prendre langue.

Les recommandations succèdent aux mises en garde. Il faut sans cesse *se méfier, se défier, veiller à, éviter de.*

Sans parler (on en parle) du mal de mer *contre lequel il n'y a pas de remède mais dont il ne faut pas s'effrayer d'avance,* on met en garde le voyageur contre *l'humidité* (en italique) du Royaume-Uni et ses fameux *brouillards, les plus épais que l'on connaisse.* A peine mis le pied par terre, c'est l'enfer, même par temps clair. Londres *fourmille de pickpockets* d'une *agilité inouïe.* C'est un *labyrinthe inextricable.*

Il faut à tout prix délivrer le minotauriste du *sentiment pénible* qui l'opprime *vis-à-vis de cette immensité inconnue.* Pour cela, une première course d'orientation est recommandée. En autobus. Si l'on prend un fiacre, attention :

> Il est toujours bon de s'entendre d'avance sur les prix (*How much to drive me to...*) et de noter, ou, mieux, de demander le numéro de la voiture qu'on prend. Beaucoup de cochers de Londres sont insolents et surfont les voyageurs. Si l'on croit être surfait par un cocher et ne peut s'entendre avec lui, porter plainte à la police centrale, New Scotland Yard, ou bien se faire conduire au bureau de police du quartier.

On voit d'ici le cocher obéir, et le voyageur s'écrier à Scotland Yard :

« Je suis surfait ! Je suis Français. Qu'on arrête cet homme ! »

Le train, heureusement, n'offre pas ce genre de surprises. Il en réserve d'autres : *Les employés s'occupent relativement peu des voyageurs. Il faut donc être sur ses gardes pour ne point dépasser sa station,* car *les conducteurs prononcent mal les noms.*

Pagnol disait vrai : les Anglais ont un très mauvais accent.

En admettant que le voyageur étranger n'ait pas été dévalisé et ne se soit pas trompé de station, il pourra gagner un hôtel : *La cuisine y laisse généralement à désirer : tout est cuit sans sel, les légumes à l'eau et sans beurre. Quant aux sauces, elles sont tellement fortes qu'on en a la gorge enlevée.* Reste heureusement le café : il y est *mauvais ou médiocre.* Toutefois, les hôtels étant généralement *propres et confortables,* on voit le voyageur sur sa faim manger quelques glands de coussins. Mais sur le qui-vive :

> Il n'est pas inutile de fermer sa chambre quand on sort et de donner un tour de clé à la porte pour la nuit. L'argent et les valeurs se conserveront dans la malle si elle ferme bien, les serrures des meubles des hôtels n'étant pas toujours suffisamment solides ni sûres. Si l'on a des valeurs considérables, il vaut encore mieux les confier — contre reçu — au maître d'hôtel ou à un banquier.

On peut rire de l'aïeul des guides, mais au moins l'analyse des caractères ethniques était plus objective et le dithyrambe moins constant que dans les traités actuels. On ne vous sucrait pas toujours la rétine à coups de « fascinant » et d' « incomparable ». On ne surpassait pas sans cesse en splendeur, on ne dépassait pas toujours en longueur, on ne dominait pas toujours en hauteur. Le vocabulaire était moins ampoulé, la critique plus solide :

La supériorité que les Anglais ont acquise sur mer, disait Baedeker en 1903, *a influé sur leur caractère : ils ne font rien comme les autres et prétendent tout faire mieux. Il est donc bon de se conformer à leurs usages si l'on veut avoir leur estime mais ils savent excuser l'étranger qui ne le fait pas.*

Voilà de l'objectivité. Idem pour les Suisses : *C'est une race d'hommes loyale mais qui a la tête près du bonnet.* Baedeker prenait moins de gants qu'aujourd'hui (alors qu'on n'en porte plus) pour signaler au voyageur les dangers de la Jungfrau — précipices et autochtones : *Ici on vous offre fleurs, fraises, cristaux. Là on vous montre chamois et marmottes. Des garçons font la culbute, des goitreux et des crétins implorent votre pitié...*

Je veux bien croire qu'il n'y a plus un seul crétin en Suisse mais un guide moderne ne s'aviserait pas de recommander aux visiteurs : « Pas de pitié pour les goitreux ! » Cela dit, Baedeker était le premier à souligner les avantages du progrès et, notamment, les installations du Riggi :

Un chemin de fer à crémaillère vient d'y être installé; il y a de bons freins.

Sans doute pourra-ton s'étonner que je me sois attardé à ce point sur cet ancêtre du tourisme. On peut. On s'étonnera donc davantage que je m'y attarde un peu plus.

Pour mieux apprécier le point de non-retour (si l'on ose ainsi dire à propos de voyages) où l'on est arrivé, il n'y a rien de tel que de fixer dans son rétroviseur celui d'où l'on est parti. Comment ne pas rester une minute encore avec M. Baedeker en lisant les recommandations que ce grand-papa des voyages faisait aux nouveau-nés du tourisme international sur le point de faire leur premier Pas de Calais :

En cas de besoin pressant (Londres) *s'adresser au premier policeman venu avec la demande : « Tell me, please, where is the nearest place of convenience ? »*

Ah ! Qu'en termes concis en plein Picadilly on pouvait faire pipi ! Il n'y avait même que l'embarras du choix : les meilleurs *lavatories* (pour dames : *waiting room*) étaient signalés comme les bonnes tables du Michelin. Avec la latitude : *Au S. de Hyde Park, entre les numéros 81 et 83 de Regent Street, du côté O. de Covent Garden, au S.E. de Marble Arch.*

Le tourisme organisé pour voyageurs sécurisés a créé d'autres besoins, mais à Paris comme à Londres, pour satisfaire le plus élémentaire d'entre eux sans consommer... comment faire ?

Guidés par la main ferme du docteur Karl Baedeker, feu garçonnets et fillettes nos aïeuls avaient le mérite, sinon le courage, de braver seuls pickpockets et aigrefins.

S'il leur était recommandé de revoir leur note d'hôtel *à tête reposée,* nul forfait ne les avait dévalisés avant le départ. L'*homo touristicus* n'était pas né. On n'avait pas encore mis au point le prêt-à-voler avec avions charterisés et hôtels climatisés.

Aujourd'hui les troupes aéroportées du tourisme organisé bravent les quartiers écartés en blindés.

A l'abri d'une carapace de tôle bleue, jaune, grenat, le voyageur avance avec sa section de touristes motorisés, deluxisés, climatisés. Dans l'autocar des Modern' Tours, il investit quartiers réservés, quartiers écartés et fusille de sa caméra tous les objectifs « dignes d'intérêt ».

Micro-grenade en main, le chef de groupe ne laisse rien passer et commande le mouvement des yeux : tête gauche pour une mosquée, tête droite pour les P.T.T. La campagne elle-même est sous-titrée : ici un champ de maïs et là des arbres à thé. Ces paysans semblent repiquer le riz. Confirmation : ce sont des paysans qui repiquent le riz. Le paysage paraît mâché. A l'entrée de la ville, un sergent de ville règle la circulation : c'est un sergent de ville qui règle la circulation.

Et si, d'aventure, il n'y a rien à signaler, plus rien à faire qu'à rouler entre deux bandes de sable qui va rester du sable pendant vingt kilomètres, on ne laisse jamais le touriste tout seul : comme dans les hôtels, les avions, les aéroports, les haut-parleurs lui versent dans l'oreille leur sirop musical.

Du haut de son pullmann climatisé, Jojo First Class regarde les femmes-enfants du quartier réservé de Bombay prêtes à faire la passe à trois roupies, et braque son objectif — clic-clac — sur ces lupanars à ciel ouvert.

« Prends pas ça ! » dit Madame.

Monsieur assure que ça ne lui fait même pas envie, et Madame, tout de même plus tranquille d'être avec lui, s'exclame :

« C'est une honte. Des enfants ! Ça a quel âge ça ?... J'aurais mieux aimé voir les éléphants ! »

Madame craint-elle que la traversée de ces quartiers ne donne des idées à son mari ? Elle le ramène aux éléphants sacrés. C'est moins trompeur.

Si les éléphants lui sont restés sur l'estomac, c'est qu'ils étaient inscrits au programme de l'excursion 312 B : *15 heures, bain des éléphants sacrés,* bien avant les quartiers réservés. Madame, qui coche tout au fur et à mesure, rappelle à l'ordre notre mentor :

« Et les éléphants ? On les fait pas les éléphants sacrés ? C'est autrement intéressant ! »

Tu les auras, bobonne, tes éléphants sacrés, domestiqués, peinturlurés. O la tristesse de ces éléphants surmontés d'un touriste à casquette rigolard mais apeuré, et qui ne veulent pas aller se baigner malgré les coups de bâton des cornacs ! Ils ne descendront vers le fleuve qu'une fois le car reparti.

Une fois n'est pas coutume : en général, les animaux sont exacts au rendez-vous fixé par le programme. Peut-être pas autant que les chutes d'eau ou les volcans mais, si *les espiègles ours koalas* dormaient à poings fermés à Sydney, les hippopotames de Mombasa n'ont pas posé de lapin : on les a vus, comme c'était écrit, *se complaire dans les eaux basses du fleuve,* et les lions sont venus boire à l'heure du thé.

Ce qui m'a laissé le plus songeur, c'est un chien. Le chien australien.

Le programme précisait qu'*après une croisière en vedette sur le lac Wakatipu, un thé copieux serait servi*; il resterait suffisamment de temps ensuite pour voir les *Fameux moutons de Cecil Park Station.* Il ajoutait :

On pourra aussi voir un chien berger à l'œuvre.

Programmé six mois à l'avance par MM. Cook &

Sons, ce chien serait-il à l'ouvrage le 14 février à dix-sept heures ? Avec les chiens syndiqués... Ce chien l'était, mais il s'agissait sans doute du Syndicat d'Initiative de Cecil Park Station et, aussi extraordinaire que cela puisse paraître, nous vîmes bien *un chien berger à l'œuvre.*

Aux Antipodes, ça change tout.

VI

LE PÉLOPONNÈSE EN NOUVELLE-ZÉLANDE

IL existe sur notre globe un royaume ambulant sur lequel le soleil ne se couche jamais. Il appartient aux Français.

Même quand il était casanier, le Français montrait une aptitude particulière dans le domaine de la comparaison : au pays du « faites comme tout le monde ! », il a toujours été capable de faire deux repas en un seul. Il n'y en a pas un comme lui pour évoquer son dernier civet de marcassin quand on lui présente un râble de lièvre, ou de parler d'ailerons de requins dès que son « Chinois » préféré (toujours « le meilleur de Paris ») lui sert un potage poulet-vermicelle.

Il renouvelle aujourd'hui cet exploit devant tout ce que la géographie lui sert.

Capable de faire surgir La Baule en Australie et le Puy de Dôme dans les Andes, il est champion de la Comparaison.

Championne dans sa catégorie, l'une de ces plaquettes dont je viens de parler.

Française comme il se doit, et consacrée à la Nouvelle-Zélande, elle mérite de monter première sur le podium. D'Auckland, elle dit :

Bâtie sur un isthme étroit qui sépare l'océan Pacifique de la mer de Tasmanie, la ville d'Auckland est souvent comparée à la ville grecque de Corinthe.

J'avais déjà entendu comparer Bruges à Venise, Amsterdam à Copenhague et même Delphes à Jean-Bouin.

Jamais Auckland à Corinthe.

Faut-il être béotien pour ignorer qu'il n'est pas un seul Corinthien qui ne se réveille chaque matin en ayant une pensée pour sa sœur néo-zélandaise ! Mais les Aucklandais eux-mêmes... savent-ils que leur cité est *souvent* comparée à la rivale de Sparte et d'Athènes ?

Transporté *subito gratis* de Nouvelle-Zélande dans le Péloponnèse (que l'on écrit maintenant avec deux n pour y aller plus vite; Malet et Isaac n'en mettaient qu'un), je brûlais de vérifier si les Néo-Zélandais plaçaient Corinthe dans leur cœur ou ailleurs.

Après tout, comme le dit le proverbe latin, cité par Larousse : *Tout le monde ne peut aller à Corinthe !* (« Les plaisirs de Corinthe, ville voluptueuse, étaient coûteux, et beaucoup s'en abstenaient, faute d'argent ») : *Non licet omnibus adire Corinthum !*

Pour en avoir le cœur net, j'ai pris l'omnibus à Auckland et procédé, auprès de dix autochtones, à un sondage de mon Institut personnel d'opinion.

« Pardon, Monsieur... Corinthe, vous connaissez sans doute ?... Vous ne trouvez pas, Madame (*Mademoiselle, Monsieur*), qu'Auckland c'est tout à fait Corinthe ?... »

Les cinq premiers aborigènes interrogés restèrent sans opinion, gentils mais secs comme le fameux raisin dont ils semblaient même ignorer l'existence. Un sixième avoua qu'il en avait entendu parler au collège et que ça devait être en Asie Mineure. Une dame — très aimable — me dit qu'elle ne connaissait pas et que je ferais mieux de demander à un policeman comment y aller. Quant aux trois autres, craignant sans doute d'être sollicités par un quêteur, ils étaient descendus.

Ça m'apprendra à aller chercher le Péloponnèse dans la mer de Tasmanie.

De tout ce qui peut incliner à la comparaison — lacs, pics, volcans, danseuses, requins, illusionnistes, isthmes — ce sont les baies qui l'emportent. Elles excitent si fort la glande comparative du touriste que l'on pense au chien de Pavlov (à moins que l'on n'en fasse un cheval de bataille — question de goût).

Prenons Rio. Qu'y a-t-il de meilleur à prendre que Rio ?

Arriver un soir dans la baie de Guanabara en paquebot, c'est une des meilleures choses qui puissent arriver à un homme.

Ah ! Rio incomparable et toujours comparé par ces maniaques de la comparaison auxquels rien n'est jamais sans rappeler quelque chose et qui, face au Pain de Sucre, font résonner Along ou Hong Kong comme des gongs... Rio ! Moi qui avais si peur de te retrouver, ma grande baie si grande que tu en fais six; moi qui, par crainte d'être déçu, t'évitais depuis trente ans comme une maîtresse fanée — j'avais tort : je t'ai découverte égale à toi-même et trois fois supérieure : grâce à l'immense talent de ta nature, tu as absorbé, sans prendre une ride, trois fois plus de gratte-ciel que je n'en connaissais.

... Mon stylo, je le sens, va devenir poète. On permettra que je m'arrête, et que je retrouve ma tête.

Si j'osais me livrer à une comparaison, je dirais que Rio ne ressemble qu'à Rio.

Ce soir-là, j'ai osé. Je l'ai dit à mon voisin de pont, auquel Rio rappelait Vigo.

« Ah ! Tu vois, chéri, Monsieur dit que Rio c'est plus beau !

— Chacun ses opinions ! » dit le Monsieur froissé comme si j'avais déclaré que j'étais indépendant de gauche.

Seul élément nouveau à première vue, en dehors des gratte-ciel, un porte-avions.

Il m'était arrivé naguère de chagriner les Brésiliens en rapportant que le *Minas Geraes*, cuirassé numéro un de leur flotte, avait son numéro dans l'annuaire du téléphone : très attaché à son quai de Guanabara, il servait de Q.G. à l'état-major de la Marine.

Ce glorieux serviteur du pays, après avoir coulé ainsi des jours paisibles, a fini par couler tout aussi glorieusement : conduit à la ferraille, il a refusé ce sort honteux et, en haute mer, face à Rio, s'est spontanément sabordé.

Le Brésil a voulu maintenir les plus nobles traditions de la marine — notamment celle d'être en guerre avec l'armée : le nom de *Minas Geraes* a été transmis à un superbe porte-avions — mais c'est tout ce qu'il porte; l'armée de l'air, considérant que ce qui vole est sien, ne veut pas donner ses avions. Elle les prête pour des manœuvres, puis les retire. La plate-forme du *Minas Geraes* est la seule chose vierge de la baie [1].

La comparaison, pour fleurir, aurait-elle besoin d'eau ? Après les baies, ce qui sans doute la stimule le plus, ce sont les cataractes.

1. Les Brésiliens ont surnommé leur porte-avions « Le bel Antonio », un héros qui, tel don Juan, voudrait bien, mais ne peut pas.

Naguère, quand on avait vu les chutes du Niagara, on pouvait dormir tranquille. Aujourd'hui, un Monsieur qui ne connaît que ça n'a plus qu'à se tenir coi. Le Niagara, c'est dépassé. Parle-moi d'Iguassou, je te renverrai le Zambèze.

J'ai assisté un jour à une rencontre de cataract' catch entre deux globe-trotters.

Le Monsieur qui venait de faire jaillir le Zambèze précisa :

« 120 mètres de hauteur en moyenne, ça ne vous dit rien ?

— C'est peut-être plus haut, ça ne peut pas être plus beau ! »

Un tiers, qui s'était tu, intervint. On devrait, en voyage, être toujours assuré au tiers :

« Je ne voudrais pas vous faire de peine (*c'est toujours comme ça que ça commence*) mais votre Zambèze, c'est de la petite bière à côté de ce que j'ai vu à Potaro.

— Où ça ?

— A Potaro... A Potaro, ça tombe de deux fois plus haut que le Zambèze : exactement 244 mètres ! Comme si ça vous tombait de la troisième plate-forme de la tour Eiffel. Vous voyez ça ? Un boucan... du tonnerre !

— C'est où ça, Potaro ?

— En Guyane.

— Ah en Guyane ! dit le tenant du Zambèze avec un petit sourire. Si vous allez en Guyane...

— En Guyane anglaise, Monsieur », précisa dignement l'expert en cataractes, des fois que, minute papillon, on l'aurait pris pour un ancien bagnard.

Partout on parlera d'ailleurs. De Vigo à Rio. De

Rio à Hong Kong. Des Seychelles à Tahiti. De la Jamaïque aux Seychelles.

A l'instant où le *France* glisse sur les eaux anormalement plates du détroit de Magellan, le monde bascule sur le pont. Tout près du pôle Sud on se retrouve au cap Nord :

« Moi, qu'est-ce que vous voulez, ça me fait penser au Spitzberg. D'ailleurs nous y sommes allés deux fois et nous allons y retourner, n'est-ce pas, Gaston ? »

On sent que Gaston vit dans l'acquiescement comme d'autres dans la contestation.

« Eh bien moi, vous savez, dit une dame, ça me rappellerait plutôt le lac des Quatre-Cantons... »

Cela jette un froid. Le Spitzberg ou le cap Nord, à la rigueur, mais les Quatre-Cantons, ça fait vraiment touriste série B. La dispute se poursuit :

« En tout cas, ce sont bien des fjords !

— Des fjords au Chili ! Elle est bien bonne celle-là. Les fjords c'est suédois.

— Regardez dans le dictionnaire, Monsieur ! Pour le détroit de Magellan on dit bien *fjord*.

— Je veux bien vous croire, chère Madame. Si vous me disiez que ce soir nous allons coucher à Stockholm, je vous croirais aussi ! »

La Patagonie est-elle suédoise, norvégienne ou suisse ? La seule chose à laquelle le détroit ne fasse pas penser, c'est au détroit de Magellan.

Les voyages forment la jeunesse et déforment la géographie.

Jamais complètement là où il se trouve, le Français conserve toujours un pied chez lui.

Ni dépaysé, ni dépaysant.

Nous arriverons à Hong Kong un soir, un de ces soirs de folie vespérale qui rendent les montagnes bleues, l'eau verte, le ciel saumon.

La fameuse *animation très vive* promise par les dépliants est surpassée ici par la réalité. C'est le Châtelet avec cinq millions d'acteurs. Jonques jaunes à côtes noires, sampans aux voiles pastel, vedettes grenat, ferries verts, tout glisse, tout s'entrelace, tout grouille sans bruit tandis que l'énorme carapace du *France* pénètre dans la baie. Bientôt il ajoutera la cascade de ses lumières qui font rêver ceux de la terre à celles qui, ruisselant de Kowloon ou de Victoria, font rêver ceux de la mer.

Les hommes sont fous, mais s'ils ne faisaient que des folies comme Hong Kong, ce serait follement bien.

A quelques pas de cette folie bourgeoise, au-delà des Nouveaux Territoires, tapie dans l'ombre, dort la Chine. D'un œil sans doute — ce qui en fait encore 400 millions.

Hong Kong déroule sous nos yeux sa dinguerie électrique, sa cavalcade de banques, de gratte-ciel, d'hôtels adossés à la Chine (et chinois à 51 %). Sur le pont, accoudé à la lisse, un monsieur, contemplant distraitement le paysage, explique à un autre le chemin le plus court pour aller chez lui à Puteaux. Cette explication est hachée des recettes de cuisine que se communiquent deux dames.

Je laisse dérouler le ruban de mon magnétophone (haute fidélité) :

« Ecoutez, c'est bien simple y'a pas d'problème... Vous voyez le feu rouge de la rue Jean-Jaurès ?... C'était un mille-feuilles. Eh bien, croyez-le ou non, il en a laissé un entier ! Je l'ai enveloppé vous pensez ! Mais le lendemain matin j'ai été obligée de le jeter forcément avec la crème... ... Bon vous l'passez, vous prenez la première à droite et le premier pavillon en montant la côte c'est moi ! Vous pouvez pas vous tromper... ... Moi je dis : c'est pas du gâchis, c'est du gaspillage ! Quand je pense qu'il y a des gens qui meurent de faim, ça m'soulève le cœur... ... Je vous montrerai mes films. Je n'sais pas c'que ça va donner ici avec la nuit. Quand je pense qu'ils nous ont fait faire 400 kilomètres pour voir des vers luisants dans une grotte en Australie ! Ils disaient sur le prospectus *des vers phosphorescents projetant des lueurs étoilées.* Je me suis dit : ça va être chouette avec de l'ektachrome 160 ! Zéro. Y luisaient pas du tout. Ça donnera rien !... ... Voyez, pour les pâtes, moi, je mets toujours du gruyère ! Tiens qu'est-ce que c'est qu'ça ? Un sampan ? On dirait plutôt une jonque ? C'est drôlement illuminé. Vous entendez ce boucan... Ce doit être une boîte de nuit flottante... Et ces claquements de pions... Y doivent jouer au mah jong ! A moins que ce soit des dominos... Qu'est-ce que je vous disais ? Ah oui toujours du gruyère mais pas trop et puis deux petites boîtes de thon parce que je préfère deux petites à une grande... »

Coupez.

Sale petit écrivain bourgeois, toujours prêt à trouver des Jojos partout, même en première ! Mais les snobs ne sont pas différents.

Un jour, arrivant à Moscou avec l'avion du « Tout-Paris », j'ai, pendant les trente kilomètres qui séparent l'aéroport de la capitale, entendu deux dames très parisiennes — pas putéoliennes pour deux sous, elles avaient bien plus — discuter, au milieu de l'admirable forêt de bouleaux qu'elles voyaient pour la première fois, des mérites respectifs de l'hôtel du Golf et du Royal, à Deauville.

VII

UN CERTAIN COMPLEXE DE SUPÉRIORITÉ

Si l'Anglais a perdu son Empire, il le balade en filigrane à travers les pays qu'il domina, dirigea, digéra, restitua.

Sur tous ces peuples dont il fut roi, Malaisie, Inde, Kenya, il conserve un empire très personnel. Plus question de cette arrogance stigmatisée par Thackeray, ni de l' « orgueil insulaire effarant, indomptable de Milord dans son carrosse (ou de John sur le siège arrière) » qui lui valait d'être partout « splendidement détesté ».

Plus subtile, plus édulcorée, sa supériorité, dont le siège social n'a pas changé d'adresse, s'est faite moins impérieuse. Son ton moins péremptoire. Discrètement assurée, un rien paternaliste sinon bon enfant, sa manière de parler vient du fond des âges et des *nurseries* : dans la façon de faire siffler les *s*, sonner les *t*, de dire *Would you please...*, il entre tant de fermeté polie qu'il n'y a pas de réplique possible. On retrouve sinon la voix du gouverneur, du moins celle des gouvernantes et des *nannies*.

Les généralités sont dangereuses, mais le fait est que, pour un Américain rembarré, il y a deux Anglais obéis. Question d'accent ou de ton. Depuis que quelqu'un a dit : « Ce sont deux pays séparés par une même langue », il est difficile de dire mieux. « Arrogance... orgueil... cordialement détestés... » — Thackeray pourrait constater que la relève est largement assurée par les U.S.A. Ils ont beaucoup aidé le monde libre à sauver sa liberté. Sans doute mais sans manières. Ils sont venus deux fois sauver la France et l'Europe. C'est certain. Mais par intérêt. Un ministre français des Affaires étrangères vient de ressortir ce cliché de famille qui laisse voir au développement que la France n'agit jamais que dans l'intérêt des autres. Allez donc demander à ces « Américains de malheur » qui dorment les yeux crevés sous la terre de Normandie s'ils ne sont pas venus un peu par intérêt ! Ils ne vous répondront même pas. Cela tombe sous le sens. Ils ont dû tomber avec lui.

Si la France est — Labiche oblige — première à jouer les Perrichon au grand pied et à ne pas aimer s'entendre rappeler qu'elle fut sauvée, on pourrait en dire autant de beaucoup de pays : le monde ne se porte bien que s'il a un os à ronger. L'os américain est de taille.

(J'apprécie, en passant, ce privilège de citoyen d'un monde libre : pouvoir dire des Américains ce qui vient d'être écrit, et ajouter qu'ils n'en sont pas moins, parfois, exaspérants ou maladroits.)

Le dollar a perdu de sa valeur — encore qu'il reste la seule monnaie pratiquement acceptée partout sous forme de coupures ou de travellers-chèques — mais il garde aux yeux des citoyens américains sa vertu d'étalon. Ils considèrent avec stupeur quelqu'un qui n'en veut pas. Quant au reste, s'ils ont mis beaucoup de vin dans leur eau et s'il faut avoir les idées reçues bien ancrées pour les voir déguster un faisan avec du Coca-Cola, ils continuent à être les rois du chiffre. Ils n'ont pas leurs pareils pour raconter par le menu, entre Le Cap et

Sainte-Hélène, le quatre *courses dinner* qu'ils ont fait à la Tour d'Argent pour fêter le 19e anniversaire de leur 6 pieds 3 pouces fils au cours d'un 18 jours de voyage qui leur a coûté 35 000 dollars.

Et le Français ?

Où en est le Français dans ce parcours sans fin du tourisme international ? Est-il encore, sera-t-il toujours, ce « fanfaron », ce « braillard » dont Thackeray disait qu'il répétait à l'envi : « La France, Monsieur, la France est à la tête du monde civilisé » ?

Sacré Thackeray ! Que dirait-il aujourd'hui ?

Le Français — *Je vous parle franchement... Moi, vous savez, je n'ai pas peur de dire ce que je pense* — ne se gêne pas pour dire ce qu'il pense des Anglais et des Américains. Ils sont très gentils *mais...* Il a tôt fait de dénoncer leur complexe de supériorité, héréditaire ou *made in U.S.A.*, leur orgueil, leur besoin de faire sentir partout qu'ils sont Anglais ou Américains. Lui n'éprouve aucun complexe à débarquer à Sydney ou à Hong Kong avec la Légion d'honneur sur son revers — voire sur une robe blanche. (« Vous la mettez ?... » « Ça fait si bien sur du blanc ! »)

Arborant son pavillon afin que nul n'en ignore, il ignore lui-même ce qu'il dirait si les autres arboraient le leur. Il ne veut pas le savoir, et promène sur l'univers un regard amusé (Tahiti, Bali), admiratif (Chine), critique (Inde), souvent incrédule (comment peut-on être Néo-Zélandais ?), parfois condescendant (Afrique Noire), son jugement final pouvant se résumer ainsi :

« Pour quinze jours, très bien... mais on ne me ferait pas vivre ici pour un empire ! »

A entendre cette exclamation sous toutes les latitudes, on jurerait qu'il est l'objet d'une tentative continuelle de subornation : « Apportez-nous votre esprit, et la présence de Paris !... Nous vous donnons notre pays ! »

Holà, Messires ! C'est vite dit. Devant cette menace à peine déguisée, sa riposte est prête : il ne mangera pas de ce pain-là.

« ... Pas pour un empire ! » dit ce républicain sans doute parce qu'une république sonnerait moins bien. En tout cas son *Je ne pourrais jamais vivre ici !*, toujours agréable à entendre pour les gens du cru, résonne à Kotakinabalu comme dans le Massachusetts... toujours des noms à coucher dehors (puisqu'il ne peut pas arriver à les prononcer, ils devraient s'écrire autrement).

Quelle que soit sa bonne volonté, il a beaucoup de mal à admettre que, pour un Néo-Zélandais ou un Australien, les Antipodes, c'est Paris et qu'habiter « au diable », c'est habiter chez lui. Quand on lui révèle qu'en creusant un trou dans l'écorce terrestre, entre Auckland et Wellington, il arriverait à Paris — cela le ravit. Mais qu'en creusant à partir de Paris on puisse arriver ici... il en sourit.

Habitué à voir Paris au centre du monde, planté au méridien zéro de son planisphère à égale distance de New York et de Bombay, du Groenland et de l'Ethiopie, tel un soleil autour duquel gravitent tous les pays de l'univers, il est parfois surpris de sentir le centre du monde se déplacer avec lui. Comment peut-on être Péruvien et se permettre de mettre le Pérou au plein milieu de la carte, « à idéale distance » de Los Angeles et de Londres, de Sydney et de Moscou, en envoyant la France se balader, presqu'île infime, à l'autre bout de la terre ?

« Tout de même ils y vont fort ! »

Les Anglais transportent leur île, la France ses ils (*Ils sont rigolos avec leurs colliers ! Ils me font marrer avec leurs uniformes !*). Si son incrédulité, son scepticisme, sa méfiance se manifestent autant chez « eux » que chez lui, il faut reconnaître que son sens inné du paradoxe et sa tendance au sarcasme peuvent donner à ses observations un parfum d'originalité.

A Hong Kong, dans la rue, un homme façonne des cigales avec des feuilles vertes. Pour les yeux, il se sert de têtes rouges d'allumettes. Au bout de ses doigts agiles, bientôt, la cigale naît. Il y a là toute la dextérité, toute la minutie de la Chine.

Réflexion d'un Français qui s'est arrêté :

« Pour qu'ils travaillent comme ça, faut vraiment qu'ils n'aient rien à foutre ! »

Dommage que les réflexions ne soient pas toutes de cette eau-là, la dominante restant ce sourire amusé que nous promenons presque partout dans le monde et dont Montesquieu fit son fameux point d'interrogation persan.

Un soir à Bali, tandis que les rizières, les temples, les cocotiers viennent de jouer la plus formidable symphonie en vert que la nature ait jamais orchestrée sous la direction du soleil et de la pluie — je reviens au bateau. Je vais au sauna. Rien de meilleur que le sauna après les escales tropicales. Les temples purificateurs, c'est bien. Le sauna, c'est plus sûr.

Je demande au préposé s'il est descendu.

Oui.
S'il a aimé Bali.
Réflexion d'une seconde puis, avec une petite moue :
« Oui... C'est mignon... »
Nouvelle réflexion d'une demi-seconde :
« ... C'est typique ! »
(Extraordinaire le nombre de gens qui, à Ceylan ou à Durban, disent d'une danse ou d'une habitation qu'elle est « très caractéristique ». Ils doivent connaître des pays dont le folklore n'est pas typique.)
Je ne sais si, en disant *C'est mignon... C'est typique,* cet homme jugeait Bali du haut de la tour Eiffel ou du fond de quelque bistrot, mais ce jugement, venu des profondeurs du peuple et du bateau, rejoignait dans son confort intellectuel celui de la plus haute noblesse — et du *sun deck.* Je veux parler d'un comte de bâbord et de haute volée qui, au moment où nous sortions du détroit de Magellan, voulut bien me prendre à témoin de la beauté des lieux : tendant la dextre vers les glaciers de Patagonie qui reflétaient leurs cimes dans les eaux limpides, il s'écria :
« Ça a de l'allure, hein ? Ça a de la gueule, quoâ ? »
Il y avait dans le *C'est mignon...* du premier autant de condescendance que dans la gueule du vicomte. Celui-ci accordait ses lettres de noblesse à la Patagonie : la couronne de nuages qui ceignait le cône d'un volcan éteint, c'était lui qui l'avait posée.
La Patagonie pouvait dormir tranquille : la France noble, la vraie France, l'avait reconnue digne d'entrer au palmarès du tourisme : elle avait de la gueule au sens noble du mot.

Différents dans leur comportement, Anglais, Américains, Français se rejoignent au moins sur deux points (où ils sont rejoints par la plupart des touristes) :

— une faculté d'absorption sans limite. Ruines, volcans, temples, rizières, caviar, desserts — ils avalent tout avec une égale voracité. Ce n'est pas la peur de manquer qui les hante mais la crainte de laisser quelque chose;

— un appétit tout aussi glouton pour les souvenirs. Le nombre d'horreurs que les touristes rapportent à bord — parfois après les avoir enlevées de haute lutte à leurs compagnons de croisière — est d'autant plus frappant que les escales (tahitienne, balinaise, cinghalaise) sont plus belles.

Avant de reprendre la vedette, sur le quai, on discute, on compare, on estime. Enregistrement :

« Vous avez eu ça pour combien ?

— Trente dollars. A Paris, ça vaudrait trois fois ça...

— Au moins !

— D'ailleurs vous ne trouveriez pas.

— Des choses comme ça, on n'en fait plus. Ce sont des artistes...

— N'y a qu'à voir leurs danseuses !

— On a bonne mine !

— Et vous allez conserver ça comment ? Attention ! Avec l'air conditionné sur le bateau, ça pète !

— Comment ça pète ?

— Oui, le bois pète. Méfiez-vous. Même l'ébène. J'ai un ami qui avait rapporté une tête d'antilope... Eh bien... sa tête a pété !

— Ah ! Dites donc...

— Alors, je vais vous donner un conseil : des journaux. Enveloppez tout ça dans des journaux. Ça protège. »

Pour quelques saris, quelques statuettes dignes d'attention, combien de conques, de coques, de coquilles violâtres, de bitestacés longicornes, de cataphractes rosâtres, dont les transparences nacrées, fascinantes à Bali, écœureront à Paris, et qui échoueront, après réflexion, dans la vitrine d'une tante du Poitou ou d'un cousin de Liverpool ! Le monde est si bien fait qu'il y a toujours quelqu'un que l'on ravit en lui donnant ce qu'on ne peut plus voir.

Combien de masques, de perruques, de gobelets, de boîtes, de coffrets, de bonbonnières et autres vésiculaires dans lesquels on ne mettra jamais rien !

Combien de peaux de serpent, de crocodile, de mouton, combien d'écailles de tortue promises à la poussière des murs ou à l'indifférence des pieds !

Mais surtout — ô incrustation, que de crimes sont commis en ton nom ! — combien de choses en bois noir incrustées de nacre, d'os, d'ivoire, dont la hideur, un instant nimbée par la lumière aveuglante des tropiques, n'éclatera qu'au déballage !

On dira que j'exagère. La réalité répondra.

En fin de croisière, à bord même du *France,* on organisera deux *Spit back sales* — difficile de traduire littéralement sans faire appel au crachat, à la vente d'objets recrachés. Peut-être pourrait-on parler d'un phénomène de rejet non prévu par le corps médical ? Le programme traduit ça poliment par *Marché aux Puces :*

Vente, achat, échange de marchandises en provenance des différents ports d'escale qui n'intéressent plus leurs propriétaires (une retenue de 10 % sur toutes les transactions sera effectuée en faveur des Œuvres internationales de la Mer).

On est heureux d'apprendre que le rejet n'aura pas seulement profité aux victimes des achats sur terre. Au cours de ces ventes « sauvages » on se battra autant que l'on s'était battu aux escales. La seule différence c'est qu'on ne pourra plus marchander.

Dans la pratique du marchandage, tout le monde se rejoint. Beaucoup de gens riches deviennent radins et discuteurs de prix dès qu'ils ont mis pied à terre. Cela commence dès le premier taxi et se poursuit dans les échoppes ou devant les éventaires suivant un dialogue qui ne varie guère — qu'il s'agisse d'un sari, d'un sarong, d'un paréo :

« Combien ?

— 500 roupies.

— 250 ! » dit le voyageur qui discute avec d'autant plus de fermeté que sa femme est derrière lui et lui a soufflé que cela se terminerait à 200.

Si le marchand ne renvoie pas l'ascenseur comme prévu :

« Fais semblant de t'en aller, chéri ! Il va baisser son prix ! »

Le mari obéit. Le prix suit ou ne suit pas.

On imagine la scène à Paris dans un grand magasin ou même dans un petit :

« Combien cette écharpe ?

— 120 francs, Monsieur.

— Je vous en donne 60. »

Il y a sans doute une latitude au-dessus de laquelle on n'ose plus discuter de cette façon.

VIII

LA FRANCE À LA MER

POUR être tenu au courant de ce qui se passe sur terre, il y a le journal du bord, *L'Atlantique,* dont le titre rouge ne deviendra noir qu'une fois : le jour de l'escale à Sainte-Hélène. En première page, les dépêches internationales reçues par télétype (Watergate, Marché commun, etc.); en page 2, horaires de la soupe à l'oignon, du tournoi de ping-pong... conseils de jardinage (*par votre hôtesse Liliane)... Comment préparer la Soirée Rubis.*

Il y a aussi les nouvelles données chaque jour à dix-huit heures sur les écrans du circuit intérieur de télévision par un commissaire qui se fait enjoué pour le mariage d'une princesse et désolé pour un vent de force 7.

Mais si l'on veut vraiment sentir la France, rien ne vaut l'encre encore fraîche d'un quotidien de Paris arrivé par avion à la dernière escale.

Tandis que le navire vogue au-dessus de la plaine abyssale de Tasmanie mon regard court à travers les titres du journal pour tomber sur *Le fond du problème,* dont il est une fois de plus question pour dire qu' « on ne l'a pas abordé ». Mon nez fouine, mon œil picore, çà et là, un morceau d'alinéa : *Je tiens pour essentiel... La finalité du café... S'agissant de structures fondamentales...*

Je suis rentré. Du moins en ai-je comme une impression imprimée. Me voici de nouveau au pays où la métaphore pullule : un livre chante, un peintre écrit, un titre dit : *Rembrandt... Un maître qu'il faut lire.*

Je saute, pour mieux y revenir, tant mes yeux sont avides de parcourir. La *puissance éblouissante d'un grand seigneur* me fascine. Un seigneur que *certains discutent* mais dont *le goût particulier ajoute à sa grandeur...*

De quel monarque s'agit-il ?

Du mouton-rothschild 1949, dépeint par un expert gastronome.

Une colonne voisine m'éloigne de ces ensoleillements en me révélant *les terribles disciplines d'un langage rigoureux entre tous...*

Chère Rigueur, te revoilà ! Mais quel est donc ce langage de bataillon disciplinaire ?

La musique indienne.

O divines surprises de la nation du Paradoxe, où chacun vous rappelle qu'il faut appeler chat un chat — mais où personne ne s'en souvient.

Je tourne, et j'apprends avec une douloureuse surprise que Nantes, étant allée se faire fesser à Angoulême, ne passera pas en 1re division.

C'est affreux.

J'aime autant n'y plus penser et voir rapidement passer un défilé de protestataires entre la Bastille et la République (5 000 manifestants *selon la préfecture,* 15 000 *selon les syndicats*), mais mon regard vorace se repaît d'un filet de cinq lignes précisant que *M. R. S..., sénateur de la Dordogne, n'était pas assis à la séance du 5 avril, mais debout, comme la majorité du Sénat, pour entendre la lecture du message présidentiel.*

Ce n'est pas exactement un rectificatif. C'est la réparation due à l'honneur d'un homme que l'on a assis par erreur. On suppose que le sénateur aura téléphoné au journal pour manifester son humeur. Ce faisant, il a obtenu gain de cause — les cinq lignes en donnent acte mais ce genre de rattrapage est toujours risqué. Entre le jour où le sénateur a été donné comme assis et celui où on l'a remis debout, le lecteur se sera couché et la façon dont l'information est rédigée prête à rire plus qu'à déplorer.

Aux approches de la Nouvelle-Guinée, ce filet me ramène en France plus sûrement que le journal entier.

Je me balade quelques instants encore dans le domaine de la politique intérieure.

Avec cette manie qu'ont les Français de dater leurs moindres mouvements et de numéroter leurs manifestes, j'apprends coup sur coup qu'il y a un « Mouvement du 18 janvier » et un « Manifeste des 131 » dont l'origine et les « motivations » m'échappent. Leurs communiqués sont là pour ne pas me renseigner. Semblables à tous les communiqués, ils en appellent à, s'élèvent vigoureusement contre, se refusent de, expriment l'un son indignation, l'autre sa consternation (qui est mieux), condamnent, prennent acte, stigmatisent, s'opposent, s'insurgent, exigent et décrètent la mobilisation générale *au plan* national.

Ça y est. On mobilise. Les premiers planqués étant, naturellement, ceux du communiqué.

Si la guerre éclatait demain, je ne vois pas ce qui resterait à faire chez nous, sinon la paix. Partout ce ne sont qu'affrontements, opérations de harcèlement, éclatements, batailles, occupations, prises de positions.

Le récent sondage d'un institut de recherches sérieux (il n'en existe pas d'autres, et pourtant les sondages comiques, s'ils étaient sérieusement faits, pourraient être riches d'enseignements), prouve que les prises de positions, ou les positions prises par les citoyens, ont été plus nombreuses en 1974 qu'en 1940. Dans ce raz de marée de vocabulaire militaire déferlant sur un pays ultra-pacifiste, faut-il voir, à l'instar d'un psychanalyste, du refoulement, ou quelque nostalgie d'un langage qu'on n'a pas su tenir quand il s'imposait ? Peut-être. On n'est pas obligé. Mais ce pays qui ne trouva pas les hommes, sinon les mots, qu'il fallait en 40 (l'Opération Armée-Route était en retard d'une paix), se découvre aujourd'hui des trésors de reconversion, au point de baptiser « trésor de guerre » une cache de 25 000 montres.

Les annexions du vocabulaire courant, galopant même, aux dépens de la terminologie militaire, se poursuivront pendant les vacances *(La Bataille des —)*. Qui n'a pas vu sans émotion apparaître à l'écran de la télévision ce correspondant de guerre à Pornichet, attendant, micro-grenade en main, *la ruée des aoûtiens* et déclarant en cette veillée d'armes : *Tout paraît calme sur le front de l'ouest ?*

Pour un peu c'était à l'ouest rien de nouveau.

Après m'être attardé dans notre cour de récréations guerrières, je franchis les frontières et pénètre dans le domaine de la politique étrangère. La planète, en ce moment, est en pleine crise énergétique et, de quelque côté que le regard se porte, l'horizon est sombre.

Le seul aspect comique des événements qui secouent notre monde avec une énergie dont il manque au même instant, c'est le sérieux des « observateurs » à les commenter, les disséquer, les analyser jusqu'à en tirer des conclusions définitives alors qu'ils avaient passé un an à parler d'autre chose. Pourquoi le leur reprocher ? En prévoyant le passé, ils épousent sans le savoir (gênant) la théorie de Storm Petersen selon laquelle il est difficile de prévoir quoi que ce soit, mais surtout l'avenir.

Qu'il s'agisse de la remontée du dollar, de la crise du pétrole ou de l'apparition d'armes nouvelles au Proche-Orient, tout cela nous est expliqué avec un luxe de détails extraordinaire — le seul qui ne coûte rien — grâce au concours confidentiel de ces observateurs anonymes auxquels gouvernants, diplomates, éditorialistes font appel en cas de coup dur : un *Tous les observateurs sont d'accord pour considérer que...* impressionne plus que *Quelqu'un me disait hier...*

J'ai une grande admiration pour l'armée des observateurs, toujours sur la brèche, toujours aux écoutes, toujours prêts à prêter une opinion à quelqu'un qui en manque. L'armée égyptienne prend-elle Israël par surprise ? Un observateur stratège, ou un stratège se fondant sur l'avis des *observateurs les mieux informés,* explique que c'est là le fait des nouvelles fusées soviétiques TU Brrr 104 dont il a dû relever le numéro dans le catalogue secret de Noël (sans doute imprimé avant que l'annuaire des téléphones moscovite le soit). Le général Arik Sharon renverse-t-il la situation en perçant le front adverse ? Nullement décontenancés, les observateurs révèlent qu'il s'agit du « fameux » mouvement en pince avec débordement par l'aile droite enseigné depuis samedi dernier à Tel-Aviv. Etonnants observateurs ! Cachés dans les minarets de Bagdad ou les cabarets du Koweït, ils livrent au monde entier — bénévolement

— des secrets que beaucoup de gouvernements auraient acquis à prix d'or. Pourquoi pas avant ? Il fallait bien qu'ils observassent avant qu'on les consultât.

Prenons maintenant le dollar (s'il n'est pas trop haut). Personne n'avait prévu sa remontée subite. Tout le monde l'explique.

Décidément Disraëli avait raison en assurant que la meilleure façon de se familiariser avec un sujet, c'est de lui consacrer un livre.

Où est le temps où l'on nous annonçait que la Banque de France avait dû absorber plus de trois milliards de dollars en sept jours ? Quel coffre ! J'espère qu'elle les a gardés. Qui oserait reprocher à la Banque de France de se sucrer ? Il faut être naïf pour s'étonner d'apprendre que *la Bourse a gardé son sang-froid* le jour où la guerre éclate. Parmi tous les sang-froid du monde, celui de la Bourse est un des plus glacés et des plus admirables. En cas de mobilisation générale ou de révolution, quelqu'un reste là, heureusement, pour saluer le sang-froid avec lequel la corbeille a défendu ses positions.

En attendant, ou plutôt sans attendre de telles extrémités, je me demande parfois quels sont ces capitaux errants qui flottent sur nos têtes, déferlent sur le franc et ne trouvent de repos, suivant les saisons et les cures, que sur le Potomac, le Léman ou le Fujiyama. Existe-t-il une compagnie des grands spéculateurs internationaux qui voyagent d'Ispahan à Zurich en devisant — le plus fortement du monde — dans des wagons-salons où ils font la culbute ?

Je le saurai un jour, car, dans ce train bleu et or, il doit y avoir des observateurs sérieux.

IX

UN MONDE MENTEUR

Nous vivons dans un monde menteur.

Il n'y a pas de batavia à Batavia, pas de panama à Panama, pas de talc de Venise à Venise, pas de chats ni de frères siamois au Siam.

A monde menteur, noms trompeurs. Pour un Rio qui tient ses promesses, combien de Vera Cruz, de Bagdads, de Valparaisos bercent nos rêves de leurs consonances magiques jusqu'à ce que la réalité oppose un démenti formel aux bruits colportés par les lèvres !

Singapour... Que de fois tes trois syllabes m'ont-elles emporté, tel un trois-mâts, à travers les océans tout bleus, tout lisses, des atlas de MM. Schrader et Gallouédec ! Dans cette géographie aux couleurs exclusives où le rose de l'Empire britannique dominait partout en superficie le mauve de la France et de ses possessions, — le *Singapour* franchissait la mer d'Oman, contournait la poire rubis des Indes avec sa parure émeraude du Népal et cinglait dans le golfe du Bengale tandis que des pêcheurs de perles plongeaient dans l'océan Indien pour en revenir les mains pleines de richesses.

Mon trois-mâts démâté par la réalité — avant que celle-ci désarme mon paquebot — je songe aux couleurs qui firent le monde de mon enfance. Y en a-t-il d'autres ? Ont-elles été redistribuées ? Même si celles-là ont passé, c'est encore par la couleur que les adultes de mon âge se laissent prendre le plus volontiers. Vertes la fuite, la voie libre, la liberté — rouges la guerre, le danger, l'interdit. Si cher aux enfants avec les voitures des pompiers, le rouge fait toujours travailler l'imagination des adultes. Quand on parle du téléphone qui relie la Maison-Blanche au Kremlin, on frappe les esprits en parlant de téléphone rouge. Il est blanc. Mais saurait-on déclarer la guerre thermo-nucléaire avec un téléphone de salon ?

On nous ment. Comme à des enfants.

Enfant voyageur et menteur, c'est peut-être à toi que tu mens le mieux.

Il te faudra bien du courage pour parcourir 18 000 kilomètres, franchir la Grande Barrière de corail et revenir en disant que la pointe du Raz, tout compte fait, c'est mieux. Du sang-froid pour constater que l'Aconcagua, avec ses 7 000 mètres, fait moins d'impression que le Cervin, moins haut mais mieux élevé.

Le plus difficile, quand on revient de loin, c'est de rester sincère avec soi-même.

Essayons. Pour être cru, disons les choses crûment : combien de milliers de milles, combien de dizaines de milliers de kilomètres, combien de mers, combien de caps ne faut-il pas franchir pour éprouver vraiment *le* choc ? Combien de grandes cités ne doit-on pas traverser pour constater que — sur cette terre bizarre où il faut que le cœur d'un grand homme cesse de battre pour qu'on donne son nom à une artère — on n'entend vraiment battre le cœur du monde que dans très peu de villes...

Cette phénoménale pulsion, ce grondement sourd, cette rumeur capitale que l'on perçoit dès le réveil à Londres, à Paris, à New York, on n'en trouve ailleurs que des approximations. Celui que les hasards du destin ont fait naître et grandir dans l'une de ces métropoles guetteuses d'infarctus — s'il aime la Ville — risque, en fait de cœur, de ne découvrir que des poumons artificiels, des plats de cubes, des pièges de pierre.

A Vancouver comme au Cap, à Sydney comme à Buenos Aires, on a beau poser des gratte-ciel comme des ventouses, il y a toujours dans l'air quelque chose de colonial, de provincial. On dirait des à la manière de... écrits au fer et au ciment. Partout des golfs, des voiliers, des cottages. Partout des banlieues bien peignées bâties en prêt-à-porter, si claires, si nettes, qu'on croit lire dans les vies comme entre les raies du gazon : ce soir, tout le monde saura avec qui vous avez joué, avec qui vous avez parlé, avec qui vous êtes parti. Alors, à l'autre bout de la terre, on aspire aux gouffres familiers, aux maelströms de l'anonymat — Londres... Paris — ces Royaumes de l'Indifférence où l'on peut si facilement mourir sans connaissances. C'est triste. Mais pouvoir se promener en caleçon au Trocadéro sans que Saint-Sulpice en sache rien, c'est bien.

Quelles envies ! Quelles idées ! Aller à Melbourne pour rêver de la tour Eiffel en caleçon ! Je dis les choses comme elles sont. Tous les psychanalystes le confirmeront : se promener dans une ville en caleçon est un des rêves les plus communs aux citadins, qu'ils soient Français ou Australiens. Marcher en caleçon la nuit dans les rues de Melbourne n'aurait rien eu que de très banal si, en vertu des idées reçues et de la place fixée aux antipodes dans ma cervelle européenne — ce n'avait été sur la tête. Charmante sous son feutre kaki à large bord relevé d'un côté, un agent de police australienne de mâle allure me siffla, m'arrêta, me remit la tête à l'endroit.

« Vous vous croyez aux antipodes, non ? Pouvez pas marcher comme tout le monde ? »

Avec l'accent australien, on ne saurait croire combien ce genre de questions laisse confondu. Je devais l'être, mais la façon dont la girl-scout me dressa, courbée sur moi, procès-verbal, m'emplit d'une émotion telle que je m'éveillai.

Quittons les villes où les rêves mêmes se polluent.

Fausses ou vraies, copies conformes ou difformes, minis-Londres ou similis-Paris, les villes mentent.

Allons, loin de leurs enfers, dans le paradis des îles.

Si c'est à coups de mensonges que l'on finit par découvrir la vérité, les îles vont la faire éclater.

C'est un amoureux de la Jamaïque qui le dit, amoureux de cette île dont le nom seul laisse rêveur, de sa mer que l'alizé frise, de ses collines de jade, de ses Montagnes Bleues — un amoureux qui va chaque année rejoindre cette maîtresse caraïbe dans le bungalow de ses rêves, et qui chaque année en revient : il n'y a pas plus menteurs que les petits navigateurs, aventuriers de tout poil, caresseurs de vahinés, découvreurs de paradis aux Caraïbes ou en Polynésie.

Il serait trop commode d'écrire qu'ils font mentir leurs paradis à lagons, pirogues, paréos réunis : ces îles, si fascinantes lorsqu'on les voit de loin, de haut, ceintes d'un collier d'écume au milieu de l'océan, avec leurs criques transparentes, ne sont, à trop les approcher, que nids d'enquiquinements — coraux tranchants, algues brûlantes, oursins géants.

Ceux qui prétendent trouver le bonheur en faisant l'amour, l'été, dans un pré du Poitou sans être le moins du monde dérangés par les insectes ou les vacanciers sont tout aussi mensongers.

Le vrai mensonge est ailleurs : les déserteurs de l'organigramme, des sociétés organisées et des forces autogestionnaires ne font, souvent, que se fuir eux-mêmes. Ils cuvent sous les cocotiers leurs échecs, leur misanthropie. Leur façon d'exprimer le paradis est significative :

« Pénard... Toutes les femmes que je veux... la vie facile... ma pirogue... mon lagon. Alors, vous comprenez... Paris... les encombrements, la pagaille, la politique, les impôts, les bonnes femmes... Ici, je les emmerde ! »

Le mot est parti. Le mot est lâché. Le mot clé. Le mot par lequel un général a pris pour l'éternité le commandement d'un corps d'armée de 50 millions de grognards. Heureux contre les autres, notre Robinson à lagon s'inscrit dans la plus pure tradition du bonheur français et de son expression favorite : pouvoir emmerder tout le monde.

On dira qu'il faut avoir l'esprit furieusement masochiste, peu français, et détourné par des pirates psychopathes de nationalité douteuse, pour avancer de telles affirmations. Sans doute. Il n'y a qu'un détraqué d'étranger pour écrire : « Ce n'est pas le tout d'être heureux. Encore faut-il que les autres ne le soient pas. »

Un Français, ce Jules Renard ?

Non, un aigri.

En somme ça ne prouve pas grand-chose.

A l'appui de cette petite démonstration du bonheur contre les autres, et s'il est permis de venir au secours de Jules Renard, je voudrais ouvrir ici une parenthèse (dit l'auteur comme si quelqu'un pouvait contrarier son souhait et le prier aussitôt de la fermer).

Il y a quelques années, un confrère devant moi s'étonnait de me voir inquiet, anxieux, au moment de la publication d'un nouveau livre. L'accueil fait à certain Major aurait dû — d'après lui — me tranquilliser pour la vie. Comme je lui avouais que je n'en restais pas moins vulnérable et que cet examen de passage sans cesse renouvelé par la sortie d'un ouvrage provoquait sur moi les mêmes effets, il s'écria :

« Mais enfin... Qu'est-ce que ça peut bien te faire, Pierrot ? Maintenant, du haut de ta montagne, tu les emmerdes ! »

Une case me manque : je n'ai jamais eu envie d'emm... personne, ni à Paris, ni à la Jamaïque.

L'ennuyeux, c'est que dans cette île bénie (ou dans une autre), le jour arrive où je m'ennuie...

Fuir le métro à Tahiti, c'est bien. Mais le métro vous y rejoint. C'est pis. Car un jour à Tahiti, à Bali, aux Seychelles ou dans ma Jamaïque chérie, le métro vient vous trotter dans la tête, le métro ou le bistrot, la tête de veau vinaigrette ou le gigot, Chantilly ou Concarneau. *Echangerais Gauguin c. Corot.*

Il vous pousse des envies de Bourgogne, d'escargots, de pur-sang sur la piste de Longchamp.

Le jour arrive où l'on en a marre. Marre du soleil. Marre des poissons. Marre de ces pays sans saisons. Je ne crois pas au paradis. Je crois aux paradis. Décidément Pascal avait raison avec sa chambre : si l'homme ne sait pas y être heureux, c'est qu'il lui en faut deux.

Deux pôles aux pouvoirs d'attraction contraires : fuir Paris pour mieux l'aimer, après avoir adoré Tahiti — c'est peut-être ça, le paradis.

Comme la carte du Tendre, dresser un planisphère de l'Exaspération avec estimation des maximums de part et d'autre de l'équateur. Si j'évalue à un an le temps d'incubation du virus gaulois *(Faites comme tout le monde, attendez !... Si tout le monde me demandait ça !... Il n'y a qu'à...)* — un an avant qu'apparaissent les premiers symptômes d'allergie, puis le prurit d'évasion — je sais, pour l'éprouver chaque année, que j'atteins mon niveau de saturation tropicale au bout de trois à quatre mois.

Loin de moi l'idée de faire du nationalisme anti-tropiques ou de la propagande pour pays tempérés. S'il faut de tout pour faire un monde, il faut surtout pouvoir y trouver son contraire. Facile dans cette jungle française, exaspérante et merveilleuse, où l'on peut sans cesse rencontrer l'opposé de celui que l'on vient de quitter. Difficile dans la plupart des sociétés faites au moule conformiste — étatiste ou tribal.

Quant à ces envies soudaines de neige et d'asphalte, de terres moelleuses, de pierres patinées, cette soif de quatre saisons, ce désir de campagnes bariolées, mousseuses, pentues — qu'elles soient toscanes, bavaroises, bourguignonnes, siciliennes — pourquoi ne viendraient-elles pas d'un simple besoin d'alternance ?

Chanteurs des tropiques qui pouvez vous dire heureux dans ces paradis où l'on cuit, vous qui avez trouvé la vérité au milieu du Pacifique ou dans les Caraïbes, c'est un amoureux des tropiques qui vous le demande en toute sincérité : s'il n'y a que « ça de vrai », si la vérité est tropicale, si c'est là où s'épanouissent le mieux les dons des hommes, alors, dites-moi combien de philosophes, combien de peintres, d'écrivains, de poètes, combien même de grands navigateurs nous sont venus de dessous l'équateur ? Combien d'Erasmes de Patagonie, de Shakespeares d'Australie, de Molières d'Argentine, d'Einsteins d'Océanie ? Et, pour un Gauguin qui vint chercher l'inspiration à Tahiti, combien de Katherines Mansfields déserteuses de Nouvelles-Zélandes !

Si l'on trouve plus d'humour au nord qu'au sud de notre sphère — il doit bien y avoir une raison. Serait-elle climatique ?

X

JE REPASSERAI DANS CENT ANS...

ASSOUPI dans un fauteuil, je suis tiré de ma torpeur par la sirène d'une ambulance. J'émerge de mon demi-sommeil dans un hammam à ciel ouvert.

C'est le début de l'après-midi. Un hall d'hôtel, presque désert. Par les baies grandes ouvertes sur l'avenue, l'air tiède et moite des tropiques pénètre par bouffées, brassé sans conviction par des ventilateurs fatigués.

Une frontière de plantes vertes me sépare du monde extérieur : par-delà, je vois passer des hommes et des femmes-troncs, j'aperçois, immobilisés dans l'encombrement, des moitiés de camions, des quarts d'autobus, des taxis. L'ambulance blanche essaye de forcer le blocus. Son feu rouge pivote sur le toit, à l'abri dans sa coupole bleutée. Toujours le même œil de sang tournoyant désespérément. Toujours le même avertissement : *Attention ! Transport de drame.* Toujours les mêmes inutiles suppositions : enfant écrasé, femme enceinte, vieillard agonisant ? ? ?

Le blocus est levé. L'ambulance repart, déchirant l'air de sa sirène, des taxis klaxonnent; quatre flots de piétons se croisent en traversant la chaussée. Le monde est reparti.

Vers quoi ? Vers qui ?

Je ne sais plus où je suis. Est-ce d'en avoir trop fait ? Est-ce le tournis ? Est-ce le bruit ? Cette impression d'être partout sauf ici vient-elle, justement, du bruit ? Au tumulte de la circulation s'ajoute le fracas universel des perforeuses, des bulldozers, des marteaux-piqueurs. De l'autre côté de l'avenue, ils s'attaquent à un édifice 1900 déjà troué comme un gruyère et dont l'architecte, on le sent, fignola avec amour les corniches tarabiscotées. Par le flanc de ce qui fut loué comme un *lux. appt tt confort*, pend la carcasse défoncée de ce qui dut être un sofa, avec sa garniture de glands or et grenat. Comme pour l'ambulance, je me demande qui s'allongea là-dessus, parmi les poufs disparus... *Qu'est-ce que vous allez prendre ?... Je vous en prie... Il a fait si chaud aujourd'hui...* — et qui va s'adjuger la place de ce plat de nouilles verticales. Parking, banque, compagnie d'assurances ? Le tiercé, on le sent déjà, sera de rapport.

Les bulldozers ont dû faire tomber un pan de ma mémoire.

Hong Kong ? Sydney ? Auckland ? Partout ce monde en « mutation » offre un visage à moitié ravalé. Il n'est plus ce qu'il était. Il n'est pas encore ce qu'il sera. On a envie de dire : « Je repasserai dans cent ans... »

En attendant (façon de parler), le même masque de bruit l'enveloppe; les mêmes cubes le recouvrent — souvent hideux, parfois superbes; les mêmes hommes se croisent, indifférents, soucieux, sceptiques, condamnés par le nombre à vivre l'un sur l'autre après avoir traversé les siècles en vivant au niveau de la terre. Condamnés à être pressés. Pressés de sortir. Pressés de rentrer. Pressés par de plus pressés même s'ils se sentent moins pressés. Un mannequin surgit devant moi avec son casque colonial : FLANEUR DU XIXe SIÈCLE, dit l'étiquette. Dans ma rêverie, j'en oublie que bientôt, à Paris, je serai pris de pressomanie.

Je ne suis pas à Hong Kong. Je ne suis pas à Auckland ni à Sydney. Je suis à Singapour dans le hall du Raffles.

Vieux lion hôtelier du British Empire traqué par la meute des Hilton, Intercontinental et autres Sheraton, le Raffles ne bat plus que d'une aile — celle de ses ventilateurs à pales jaunes d'avant l'ère conditionnée, qui brassent à la paresseuse la moiteur des tropiques.

Le hall désert où je me suis réveillé, c'était le haut lieu des grands voyageurs type Valery Larbaud dans le train bleu et or duquel Paul Morand a dû monter en marche. Chantés par l'auteur de *Rien que la terre*, les fauteuils en rotin ne semblent là que pour mémoire, témoins d'un univers englouti, en attendant de rejoindre dans la vitrine du musée notre flâneur du XIXe. Cartouche : *Globe-trotter 1927 prenant un Million dollars Cocktail au Raffles (2e quart du* XXe *siècle).*

Au temps des *boys* et des *sahibs*, le vieux lion hôtelier était le Bœuf sur le Toit de Malaisie, ou son Fouquet's; il n'y avait encore ni *lounge*, ni *lobbies*, ni *jet set*, ni restaurant panoramique tournant avec la terre et il suffisait de dire *J'étais au Raffles à Singap...* pour avoir tout le monde avec soi.

Aujourd'hui non seulement tout le monde y va, mais tout le monde s'en fout.

Le temps de penser que tout le monde y va — et le monde vient à moi. L'hôtel est investi par la troupe d'un charter qui déverse son plein d'Europe : Hollandais blancs, Allemands verts, Français de toutes les couleurs.

Ils rejoignent. Colonne volante des régiments du tourisme, ils rejoignent à Singapour comme on rejoignait à Toul. Certains, pour faire plus vrai, portent en bandoulière leur sabretache jaune d'officier. La porte-tambour propulse un retardataire. Le brouhaha cesse. C'est l'appel. Manque personne, dit l'adjudant de compagnie aérienne. Rassemblement à 7 h 10. Quartier libre. Dislocation. Bientôt le commandant du *France* prononcera son discours d'accueil aux nouvelles recrues, puis ce sera, avant les corvées de compagnie, le premier exercice d'alerte.

Beaucoup de ces appelés ont suivi le peloton de préparation aux grandes manœuvres touristiques et fait leurs preuves dans les campagnes d'Italie, de Grèce, d'Espagne. C'est la première fois qu'ils s'attaquent à un si gros morceau. On ne fait pas l'Asie comme la Costa Brava. Et le bataillon des vétérans du *France*, qui a un demi-tour du monde à gauche dans les jambes, va regarder avec délices ces bleus se perdre bâbord-tribord (je m'y perds encore).

Mais voici une colonne descendante qui, après une période à Bali, ses temples, ses danses sacrées, va rejoindre Paris tt compris. Entre les derniers éléments du charter qui ne se sont pas encore dispersés (les Français ne se dispersent pas comme ça), et les nouveaux arrivants fourbus, un dialogue s'engage. O Paul Morand, je voudrais que tu recueillisses ces perles de l'océan Indien :

« Bali, c'est peut-être ce qu'il y a de plus chouette. Vous l'faites ?

— Sûr.
— Et Bornéo ?
— ...
— Dommage, c'est peut-être ce qu'il y a de plus beau. Enfin...
— On peut pas tout faire, allez...
— Vous avez acheté ça ici ?
— Non, à Djakarta. Allez-y ! Vous savez ce que j'ai payé ?
— ...
— Dix dollars cinquante ! Seulement faut discuter. C'est très simple. Ils vous disent un prix. Vous offrez la moitié. A partir de là vous pouvez y aller...
— Alors bonne continuation ! Et surtout n'oubliez pas. Faites-moi signe quand vous reviendrez. Maintenant j'habite rue de Moscou, dans le VIIIe. Tout le monde croit que c'est le XVIIe. J'ai quatre bouches de métro pour moi dans un périmètre de cent mètres ! C'est le seul endroit de Paris qui ait quatre bouches ! Et puis pas n'importe lesquelles : Europe... Liège... Rome... Clichy... On n'aurait presque pas besoin de voyager ! »

Moi qui parlais de métro à Tahiti, je n'avais pas prévu que Singapour m'en délivrerait une bouffée.

On a beau être dans l'océan Indien. On n'est plus jamais très loin. Naguère on courait le monde. Aujourd'hui il vous court après.

Paul Morand, décidément, me suit. En 1926, il écrivait :

« Nous allons vers le tour du monde à quatre-vingts francs. Tout ce qu'on dit de la misère de l'homme n'apparaîtra vraiment que le jour où ce tarif sera atteint. »

C'est vrai. C'est faux.

Les experts en psychologie avancée, rêvant d'égalitarisme touristique dans un monde à tout le monde, jugeront que c'est là une estimation de voyageur réactionnaire — sinon à réaction — avide d'écrire *Rien que la terre* pour les autres, mais désireux de se la garder pour lui.

Mille regrets : le snob le plus exclusif est rejoint en ce point par le forfaitaire le plus collectif. Quel est le fin du fin pour l'adepte du voyage en groupe ? Arriver à s'en détacher pour être seul. Seul à avoir *fait* quelque chose que les autres ont manqué. Voyager comme tout le monde, mais sans rien faire comme personne. *Ah ceux-là ! Où étiez-vous encore passés ?*

Ils étaient allés dans une crique non programmée :

« Nous étions seuls ! Absolument seuls ! N'est-ce pas, chéri ? C'était vraiment le paradis ! Pas une âme ! Pas un bruit ! Et vous savez la chance qu'on a eue au retour ?... On a ouvert un temple pour nous ! »

Je retrouverai ces seuls-là en Afrique. Un ménage égaré chez les guerriers Masaï — enfin... chez les Masaï, mais on ajoute toujours « guerriers » à cause de leurs lances.

« ... Des types énormes, mais alors là gigantesques ! Et très gentils. S'il y a une lance en travers de la hutte, c'est que la femme est occupée. Sinon on peut entrer. Avec ma femme on y est allé. Mais nous aurions été plus de deux, rien à faire. Pour voir ça il faut être seul... Le pot quoi ! »

Point besoin, pour entendre ce *seul,* d'aller si loin. Quand quelqu'un me parle de Saint-Tropez et que je lui avoue ma crainte de la foule, la réponse est toujours la même :

« Chez nous vous n'entendrez pas un bruit ! Nous sommes à l'écart de tout. D'ailleurs nous avons horreur de la foule. Ecoutez, c'est bien simple : la nuit, on a peur ! »

Saint-Trop à Singap... Anvers au Raffles... C'est peu de dire que le monde rétrécit. Il se recroqueville. Je serais presque tenté de dire qu'il se mord la queue si ce n'était déjà fait. Fuyant le nombre, il vole aux antipodes et le monde le suit comme son ombre.

On arrive à Kotakinabalu, on se croit au bout du monde et, s'il n'y a personne pour vous dire : « Faites la queue comme tout le monde ! », on n'en fait pas moins la queue comme si l'on s'était trompé de bout. Car à Kotakinabalu aussi bien qu'à Paris, l'autobus est plein, les taxis sont pris et quand j'arrive chez l'épicier pour acheter un kilo de sucre, il me dit :

« Je viens de vendre le dernier ! »

J'entends encore la voix d'une dame demander au bureau des excursions, entre Le Cap et Jamestown :

« Pardon, Monsieur, pour Sainte-Hélène, faut faire la queue ? »

On comprend que les loups solitaires, les galopeurs de la mer, les vainqueurs de cimes, ne veuillent pas entendre ça. Très peu pour eux. Mais, à voir trop de monde partout, on frémit de penser qu'en voulant faire la « première » d'un plus de 8 000 dans l'Himalaya, on risque d'y trouver quelqu'un avant soi.

« Les choses vont si vite aujourd'hui, remarquait Elbert Hubbard, qu'on a à peine le temps de dire « C'est impossible ! » — c'est fait. »

Pas si vite... Il y a encore des choses à faire.

Si le monde devenu peau de chagrin fait le bonheur des entrepreneurs de tourisme, il stimule l'imagination des kontikistes : pour tirer leur épingle du jeu, ils découvrent sans cesse un nouveau moyen — trimaran, radeau, pédalo — de se faire saluer par l'univers découvert.

Sans parler de cette Nouvelle-Guinée qui met chaque année de côté un *dernier* chasseur de têtes afin de justifier le déplacement de l'explorateur annuel, les « premières » sont devenues une douce hantise.

Il y a peu, à la télévision, plusieurs champions de la navigation, assaillis de questions sur les terreurs du cap Horn, les déferlantes, les « 40es rugissants », durent bien avouer, sans doute à la déception du public, qu'on pouvait passer le Horn « au plus près » sur une mer aussi peu agitée que la Méditerranée par beau temps.

« Tellement près — dit un Italien fort sympathique par sa simplicité — que, si notre bateau n'avait pas filé aussi vite, nous aurions pu y aller à la nage... »

Et il ajouta :

« Nous avons regretté... parce que je crois que, dans l'histoire de la navigation, ç'aurait été la première fois... »

A l'encontre de ces surhommes hantés par un désir de première, ce qui me poursuit plutôt c'est l'impression de faire les choses pour la dernière fois.

Je ne parle pas seulement de ce tour du monde qui pourrait bien être le dernier du genre. Mais pourquoi, l'an dernier, avoir écrit de la Jamaïque à un ami d'enfance pour lui dire de venir me rejoindre... venir un peu, venir goûter les sortilèges de cette île-cigare qui occupe sur la carte une situation tellement particulière que les gens la placent toujours ailleurs, venir plonger dans la mer chaude parmi les coraux terre de Sienne et les poissons jaunes et noirs, venir jouer au tennis sur les courts verts du Half Moon : *Viens. Viens maintenant. Tu peux courir, nous pouvons vivre. Pourquoi remettre ? On ne sait pas ce qui se passera l'an prochain. Viens.*

Il est venu. Il a vu. Il a même vaincu... Et chaque soir pendant un mois, il a goûté dans le jardin du bungalow ce moment où l'alizé s'apaise, où la nuit vient, où, sur un ciel émeraude, la nature un instant figée compose un Douanier Rousseau.

Cette sensation de vivre quelque chose « pour la dernière fois », que ce soit à Venise ou à Paris, sur les quais (regarde bien... Paris n'aura plus cette tête-là dans trente ans...), à quoi, à qui l'attribuer ?

Peut-être à un homme. Peut-être à cet homme qui un jour s'est levé, a crié, a hurlé, a vaincu, a torturé, a créé le feu et l'enfer dans lequel il s'est consumé : Hitler. Depuis le jour où Hitler vociféra, la vie, pour cet ami comme pour moi, n'a plus été la même.

On nous avait appris à nous conduire dans la vie. Nous avons commencé à goûter la minute. C'est bien un jour de 1938 que j'éprouvai pour la première fois le sentiment d'un monde qui s'écroulait. Je revenais de l'Arcouest. J'étais très amoureux. Sur la route du retour, un matin, je sentis — il ne fallait pas être devin : les nuages s'amoncelaient — que quelque chose allait changer, que la vie ne serait plus jamais la même. Je pleurai.

Sans doute pleure-t-on fort bien sur soi-même. Sans doute pleurais-je égoïstement ce bonheur que quelqu'un allait mettre en miettes — et il le mit.

Mais foin de ces pleurnicheries. Pas de morosité, pas de mélancolie ! Pas d'*il n'y a plus* désabusés comme celui de ce vieux joueur de bridge : « On ne voit plus les beaux jeux d'autrefois ! » Pas de blague.

Pour paraphraser La Rochefoucauld, on pourrait dire que le monde n'est jamais si bien, ni si mal qu'on le prétend. Même en le prenant à la taille comme cela vient de m'arriver, et en faisant du touche-à-tout géographique avec prélèvements locaux, il y a encore beaucoup d'endroits où l'on se laisserait pincer...

Dépêche-toi d'écrire, petit passager de la Terre, voyageur muni d'un aller simple sans validité précisée. Ce que tu dis aujourd'hui demain ne sera plus vrai.

Tout de même... Si j'éprouve souvent l'impression de vivre le crépuscule d'un monde déjà plongé aux deux tiers dans l'ombre glacée de ces régimes qui ont besoin de se dire Populaires (comme les tribunaux du même nom), je ne dois pas être le seul. Je ne crois pas à l'exclusivité des sentiments : quand une femme se réveille à Bornéo avec l'envie de pondre un œuf carré, il y en a cent au même instant qui, de Vancouver à Zanzibar, pensent à la même incongruité.

Tandis que le navire file ses 30 nœuds vers Gibraltar et que les passagers comme l'équipage s'interrogent sur le sort de ce géant menacé de désarmement, son seul frère (sa grande sœur pour les Anglais qui mettent les paquebots au féminin et disent d'une femme qu'elle est un bon sport), le *Queen Elizabeth II,* tombe en panne dans l'océan.

Bientôt Cannes sera pour les Français le terme du voyage. Mais pour beaucoup d'Américains, de Canadiens, de Mexicains et autres Latino-Américains que le *France* mènera à New York *via* Madère, Cannes sera la vingtième escale, avec les *Excursions* 274, 75, 76, décrites sur plaquettes dans le traditionnel style joaillier. Il me vient des envies d'être étranger pour découvrir avec des yeux mexicains « la perle de la Riviera » :

> *Cannes* est un lieu de plaisance luxueux, sur la Riviera française. Son renom en tant que station balnéaire provient de ses plages de sable fin, son Casino, ses excellents hôtels, son bassin à yachts, ses établissements de nuit et ses clubs de sport. A proximité se trouve Monte-Carlo, lieu de villégiature connu dans le monde entier, au sein de la Principauté de Monaco. Un des pays les plus petits du monde, Monaco occupe une superficie semblable à celle de Central Park à New York. Sa réputation provient de son célèbre Casino, du Palais du Prince Rainier et de la Princesse Grace, et de son port magnifique.

Je rêve un instant du port de la Princesse Grace, mais me voici jouissant, une fois encore, de *magnifiques panoramas* et de *points de vue incomparables.* Je retrouve les *ruelles étroites et tortueuses* (Vence), les *vallées riantes et profondes* (gorges du Loup), une *belle cascade,* un *court arrêt,* une *charmante localité fréquentée par de nombreux artistes* (Saint-Paul), une autre *charmante localité de conte médiéval* (Gourdon), deux *fabriques de parfum* et, loin de toute pollution, *Juan-les-Pins, ainsi nommé parce que l'arôme de ses forêts de pins se mêle à l'air de la mer.* Encore un *magnifique panorama dont on jouira (d'Eze, perché sur une hauteur)* puis ce sera le bouquet à Monte-Carlo : *Dîner à l'Hôtel de Paris avec accompagnement musical par un orchestre à cordes*

Les veinards !

Ils n'en sont, nous n'en sommes pas là. Mais cela

sent la fin. L'atmosphère est orageuse. Deux mille personnes au contact pendant trois mois sur 315 mètres 66 de long et 33 mètres 70 de large — ça finit par se diviser, se cloisonner, éclater même en une quarantaine d'immeubles avec quatre-vingts concierges au moins. Les nerfs sont à fleur de peau, des pugilats naissent de vétilles, des plats valsent, des tables se désagrègent, une électricité trop longtemps contenue se libère par de brusques décharges aux dépens de ceux qu'*on n'a jamais pu blairer* (et qui, sans doute, ne pouvaient pas vous sentir).

Cette atmosphère, normale en toute fin de croisière, s'alourdit avec les rumeurs qui courent sur la fin possible du *France.* Là encore, tension inattendue : à l'instant où l'humeur du Quai d'Orsay se manifeste à Washington, c'est un Américain, M. Martin Roess, magistrat en retraite devenu banquier, qui, voyageant à bord avec sa famille, a eu le premier l'idée d'adresser au gouvernement français un manifeste l'*adjurant* de sauver le *France* et de ne point le désarmer...

Plus forts en pétitions qu'en compétition, les Français du *France* ont été pris de vitesse sur leur terrain de prédilection. Ils ont appuyé cette motion de leurs signatures... mais, tout de même, signer pour le salut du *France* une motion américaine avec des Anglais, des Suisses, des Belges, des Italiens, des Espagnols, des Brésiliens, des Argentins, et un apatride, ça leur paraît étrange, sinon étranger.

« Enfin, dit une dame, ça prouve qu'on est aimés... ça console ! »

Le commandant Pettré — qui reçoit les délégués syndicaux et les membres du comité d'entreprise à

Bali ou à Sainte-Hélène comme un directeur d'usine à Pantin — a la confiance de tous, depuis le plus petit mousse de sonnerie jusqu'aux plus hauts grades.

Mais, sur un transatlantique, une nouvelle, en se propageant de la passerelle au sauna, subit plus de déformations qu'une conversation retransmise par satellite de la Lune à la Terre.

La réunion syndicale décidée dans la salle des machines peut très bien devenir une mutinerie sur le *sun deck*. J'imagine que l'homme du *Titanic* doit être aux prises avec les mutinés du *Bounty*. Pourtant, si les imaginations travaillent, l'équipage le fait à sa manière — calme. Beaucoup de membres du personnel, de leur côté, ne pensent à une reconversion terrestre qu'avec répugnance : pour eux qui ont passé plus d'années à la mer que chez eux, la terre est ce qu'est la mer pour nous : plutôt vague.

Nul ne sait quel sera le sort final du navire mais tous les passagers en ont la conviction : on ne vous mènera plus ainsi en bateau autour du monde. Ce voyage-ci est sans doute le dernier du genre. Aucun ne s'est encore vanté d'avoir fait le tour du monde le dernier. Ça viendra [1]. Pour l'instant, la nostalgie

1. Ça y est. Le temps de l'écrire, c'est fait — comme aurait dit Elbert Hubbard. A l'heure où j'écrivais ces lignes, je ne savais pas encore que le *France* et son tour du monde rejoindraient le cimetière des dernières fois. Catastrophe ou événement regrettable — c'est affaire d'appréciation et d'interlocuteur. Mais ce n'est pas un des moindres paradoxes de notre temps que de voir un gouvernement qualifié par la gauche de réactionnaire envoyer le *France* se faire voir chez Trigano, tandis que la CGT prend la défense du caviar et des galas. Je laisse à d'autres le soin de calculer si, en raccourcissant de quelques têtes chercheuses notre arsenal de dissuasion nucléaire, de quelques semaines notre service militaire, de quelque cinq mille véhicules notre parc de « voitures de fonction », on arriverait à combler le déficit annuel du navire. Ce que je crois sincèrement, c'est qu'en fermant vingt ambassades et cent expositions permanentes, la France, si attachée à son prestige, perdrait moins qu'en supprimant son image ambulante de marque.

l'emporte. Un fana prend des photos de tout — jusqu'aux garants d'acier qui retiennent les baleinières. Un Américain veut acheter huit tabourets de bar :

« J'en ai déjà six du *Queen Elizabeth*... »

Un Allemand se fait réveiller à trois heures du matin pour arpenter le *sun deck* : il veut être « seul avec le *France* ». Beaucoup pensent à ces départs de Hong Kong, de Sydney ou de Durban, où le *France* illuminé, répondant de sa sirène aux sifflets hululants des remorqueurs, était salué par des foules enthousiastes pourtant peu préparées à manifester leur francophilie. Si le prestige a jamais trouvé un écho, c'est bien sur ces jetées...

Il y aurait tout de même quelque chose de comique — sur un paquebot où les chiens ont un menu de cinq plats et leurs commodités internationales (réverbère parisien pour les français, bouche à incendie new-yorkaise pour les américains) — à dire : « Tout le monde tient ! » C'est plutôt à l'équipage et au personnel que l'on pense d'abord.

Pourtant, plus d'un passager songe à ces nuits bleues où cet hôtel flottant ajoutait ses trois étoiles à la Croix du Sud et où il ne recevait des conflits de la terre que des nouvelles feutrées. Le seul front auquel la télévision du bord faisait allusion était le front intertropical du bulletin météo :

Les hautes pressions centrées sur le tropique du Cancer maintiendront un régime d'alizés modérés et stables.

Puisse ce régime durer encore un peu, c'est ce que tout le monde souhaite à bord sans y croire beaucoup.

Je dois en faire l'aveu : ce n'est pas à ce régime que

je pensais tout à l'heure en parlant des « dernières fois ». Le *France* et son « Tour du Monde Dernière », c'est triste. Mon spleen l'est moins : un spleen qui vous incite à vivre l'instant deux fois au lieu d'une — ce n'est pas désagréable.

Loin d'être suscitée par la mer, cette impression crépusculaire d'un monde qui bascule vient davantage de la terre qu'on nous prépare, et qui, sous notre nez, mijote.

Gris ou noir, rose ou rouge, on ne distingue pas encore. Mais en mettant les choses au mieux — c'est-à-dire sans guerre apocalyptique, sans épidémies, sans cataclysme — ce qui nous guette, c'est la grisaille d'un univers contrôlé, électronisé, biologiquement pensé, radarisé, sécurisé, où, de la naissance à la mort, l'individu prendra son bonheur à la carte.

Au-dessus de nous, déjà, plane une menace. Elle a les ailes rognées de la liberté perforée.

La mise en place est commencée. La cheville ouvrière de notre univers passionnel ce sont — on nous le dit chaque jour avec le plus grand sérieux — ces désopilantes sœurs siamoises de « catégories socio professionnelles » qui laissent supposer des professions sans catégories ou une société sans profession.

Dilettantes de tous les pays, dispersez-vous ! Le monde des amateurs est mort. Dépêchez-vous d'aller en Polynésie ou dans une de ces îles de la Sonde que la SOFRES et l'IFOP n'ont pas encore consultées. C'est un chroniqueur catégoriel de série A qui vous le dit, un écrivain syndiqué : il y a déjà les réunions intersyndicales à Papeete et l'araignée géante de la Sécurité Sociale tissera bientôt sa toile sur un empire où le soleil ne se couchera jamais.

*

Le monde de demain sera-t-il soviétique ou américain, capitalo-socialiste ou marxiste-léniniste, maoïste ou démocrate-chrétien ? La petite cour de récréation, où seul un hasard géographique nous permet encore de nous livrer à nos jeux sous la houlette de deux surveillants généraux géants, existera-t-elle encore ? Ou bien, sur cette terre qui semble s'uniformiser avant de revêtir l'uniforme de la société socialiste, l'humoriste devra-t-il prendre ses instructions au ministère de l'Humour et mettre sa montre à l'heure de la Grande Horloge du Parti ?

Je n'en sais rien. Même si je le savais, je ne le dirais pas. J'ai assez d'ennuis comme ça.

Mais d'une chose je suis sûr : le monde alvéolaire qui me guette — et auquel, selon toute malchance, je ferai faux bond — ne m'attire pas.

C'est une grande consolation que de tenir au moins une certitude : je ne mourrai pas d'envie.

TABLE

ŒUVRES DE PIERRE DANINOS

ROMANS

LE SANG DES HOMMES, 1941 (Payot).
MÉRIDIENS, 1945 (Plon).
EURIQUE ET AMÉROPE, 1946 (Plon).
LES CARNETS DU BON DIEU *(Prix Interallié)*, 1947 (Plon).
L'ÉTERNEL SECOND, 1949 (Plon).
LUDOVIC MORATEUR OU LE PLUS QUE PARFAIT, 1970 (Plon).

ESSAIS, RÉCITS

PASSEPORT POUR LA NUIT OU LE ROI SOMMEIL, 1946 (Plon).
SONIA, LES AUTRES ET MOI *(Prix Courteline)*, 1952 (Plon).
COMMENT VIVRE AVEC (OU SANS) SONIA, 1953 (Plon).
LES CARNETS DU MAJOR THOMPSON, 1954 (Hachette).
LE SECRET DU MAJOR THOMPSON, 1956 (Hachette).
VACANCES A TOUS PRIX, 1958 (Hachette).
UN CERTAIN MONSIEUR BLOT, 1960 (Hachette).
LE JACASSIN, *nouveau traité des idées reçues*, 1962 (Hachette).
DANINOSCOPE, 1963 (Presses de la Cité).
SNOBISSIMO, 1964 (Hachette).
LE 36eme DESSOUS, 1966 (Hachette).
LE MAJOR TRICOLORE OU « COMMENT PEUT-ON ÊTRE FRANÇAIS ? », 1968 (Hachette).
LE PYJAMA, 1972 (Grasset).
LES NOUVEAUX CARNETS DU MAJOR THOMPSON, 1973 (Hachette).
LES TOURISTOCRATES, 1974 (Denoël).

EN COLLABORATION AVEC D'AUTRES AUTEURS

SAVOIR-VIVRE INTERNATIONAL, 1951 (Odé).
LE TOUR DU MONDE DU RIRE, 1953 (Hachette).
TOUT L'HUMOUR DU MONDE, 1958 (Hachette).
LE POUVOIR AUX ENFANTS, 1969 (Édition Spéciale).

« Composition réalisée en ordinateur par IOTA »

IMPRIMÉ EN FRANCE PAR BRODARD ET TAUPIN
7, bd Romain-Rolland - Montrouge - Usine de La Flèche.
LE LIVRE DE POCHE - 22, avenue Pierre 1er de Serbie - Paris.

ISBN : 2 - 253 - 01302 - 1

30/4761/0